Borralheiro

Do autor:

As Solas do Sol

Cinco Marias

Como no Céu & Livro de Visitas

O Amor Esquece de Começar

Meu Filho, Minha Filha

Um Terno de Pássaros ao Sul

Canalha!

Terceira Sede

www.twiter.com/carpinejar

Mulher Perdigueira

Borralheiro

Carpinejar

Borralheiro

minha viagem pela casa

— crônicas —

2ª edição

Capa: Raul Fernandes
Foto de capa: Jake Wyman/GETTY Images

Editoração: DFL

Texto revisado segundo o novo
Acordo Ortográfico da Língua Portuguesa

2011
Impresso no Brasil
Printed in Brazil

CIP-Brasil. Catalogação na fonte
Sindicato Nacional dos Editores de Livros – RJ

C298b Carpinejar, 1972-
2ª ed. Borralheiro: minha viagem pela casa: crônicas/Carpinejar. – 2ª ed. – Rio de Janeiro: Bertrand Brasil, 2011.
256.: 14x21 cm

ISBN 978-85-286-1497-8

1. Crônica brasileira. I. Título.

11-1800 CDD – 869.98
CDU – 821.134.3(81)-8

EDITORA BERTRAND BRASIL LTDA.
Rua Argentina, 171 – 2º andar – São Cristóvão
20921-380 – Rio de Janeiro – RJ
Tel.: (0xx21) 2585-2070 – Fax: (0xx21) 2585-2087

Atendimento e venda direta ao leitor:
mdireto@record.com.br ou (21) 2585-2002

Para os filhos Vicente e Mariana
e minha mulher Cínthya Verri.

DO PÓ VIM, AO PÓ VOLTAREI

Vou contar uma extravagância: guardo vários estojos
de pó compacto.
Desde a meninice. Não deixava minha mãe jogar fora.
Caixinhas redondas azuis, pretas, marrons, vermelhas.
O pó da maquiagem se esfacelava, ela fazia menção
de colocar no lixo e tomava para mim.
Não duvido de que não tenha pensado que eu seria gay.
Ela penava sérias preocupações com meu destino sexual.
Acredito que até hoje.
O que seu menino faria com aquilo? Estaria se pintando
em segredo? Passando batom? Brincando de menina?
Lembro que me vigiava, me olhava de canto, espiava minhas
gavetas, lustrava minha sombra pelos corredores.
Não furtei nenhuma peça de seu guarda-roupa, não botei
nenhum sutiã para ver como se ajustaria em meu peito.
Eu resgatava a base pelo simples motivo de que tinha
um espelho dentro do estojo. Limpava seu conteúdo, retirava
as sobras e a esponja, e me banhava com o brilho
esférico e prateado.
Além da possibilidade do reflexo portátil, ideal ao bolso,
partia do princípio de que descartar espelho daria azar.
Muito mais grave do que nascer feio.

Sumário

DO LAR

As mulheres caíram numa cilada masculina.

É um suicídio governar o país, o estado, o município. Bronca mais peluda do que as costas de Tony Ramos.

Cansamos. Foi um erro de cálculo. A autoridade desmagnetiza o prazer. É um encalhe de problemas, sempre tem um funcionário que pretende tirar vantagem, um escândalo, uma secretária gostosa no caminho, um relatório a entregar, além do excesso de reuniões que não permitem escapadinhas. Não há como arrumar amantes na posição de chefe, logo vira assédio sexual.

Não deu certo com a gente. O Imposto de Renda nos venceu. O enfarte nos venceu. Não queremos perder cabelos e passar a aposentadoria pagando implante.

Duro demais enfrentar doze horas de expediente, suportar a fogueira das vaidades; não sobra folga para mais nada. Se eu fosse vocês, não pegava essa geringonça.

O que pretendemos é ser do lar. Não conhecemos nenhuma dona de casa que foi processada; é mais seguro. Já temos prática em lavar carro; aprontar o quarto é moleza.

O que nos atrai neste milênio é preparar o jantar consultando um livro de receitas. Testar trituradores de camelôs.

Não nos importamos em receber mesada, podem deixar em cima da mesinha antes de sair. Não esqueçam o dinheiro do gás.

Produziremos três pratos quando vocês chegarem. Prometemos um doce toda semana, um pudim ou ambrosia, como queiram. Mas, por favor, só avisem quando vierem com amigas para jantar, que tudo seja planejado, horrível dar vexame às visitas.

Controlaremos a validade dos produtos na geladeira. Necas de se afligir com o supermercado, não iremos sobrecarregá-las com frivolidades domésticas.

Nossa missão será garantir a tranquilidade de vocês, chefas de família. Vamos encher a banheira com sais e espuma. Quando voltarem do trabalho, pegaremos a maleta, a bolsa e perguntaremos com a voz descansada:

— Como foi o dia, meu bem?

De noite, estaremos disponíveis ao ato sexual, relaxados. Compraremos óleos e cuecas fetichistas, talvez fantasia de policial ou de torneiro mecânico. Depois de encaminhar as crianças, colocaremos velas pelo corredor, Madonna no CD, e mostraremos, à meia-luz, os novos passos de *pole dance*.

Não descuidaremos da aparência. Fugiremos para shoppings à cata de uniformes esportivos. Diariamente, faremos um desfile dos times ingleses, italianos, espanhóis, franceses.

O que nos interessa mesmo é assistir ao futebol na televisão. Sempre há um jogo a qualquer hora — não existia isso antes. Qualquer horário, acreditem.

Agora mesmo, por exemplo, acompanho o Campeonato Alemão, Schalke versus Bayern, enquanto organizo a coleção de sapatos de minha esposa.

Os homens não querem mais o poder. Descobriram que a submissão é a força.

PARA QUE SERVEM OS HOMENS

Meu pai saiu de casa quando eu tinha sete anos. E entrei em pânico. Atormentado de coração. Porque a mãe só reclamava que não havia mais ninguém em casa para matar baratas.

Não lamentou o fim do casamento de três décadas, a despedida brusca, e sim o término da proteção contra o esgoto.

Pensava que o pai era um inseticida. Logo contraí saudade de seus olhos brilhantes de naftalina.

Assumiria a tarefa masculina da residência. Algo muito precoce, recém havia me acostumado a usar calça comprida. O mesmo que sustentar a família antes de entrar para a escola.

O duelo prometia. Na minha infância, as baratas experimentaram uma fase transgênica, de helicóptero. Balofas, imensas, crespas e voadoras. Acho que encontravam comida com excessiva facilidade (não varríamos bem o chão?); a questão é que pareciam ratazanas escuras nas costas de morcegos. Saltavam de um lado para outro. Planavam longamente. Com suas antenas delirantes, representavam a televisão 29 polegadas da época.

Eu não podia confessar que sentia nojo. Na primeira vez que ouvi o grito da mãe, ela me entregou suas sandálias havaianas azuis 36 e me lançou ao batismo: "Mata rápido!" Não contei com preparação psicológica nem fiz estágio com formigas.

O animal estava escondido na máquina de lavar. Persegui sua sombra, respirando pela boca. Meus cílios também se mexiam como patas.

O negócio é que não bati a sandália com firmeza no piso; arremessei longe e a barata desapareceu na favela dos cascos de refrigerante.

A mãe não escondeu a decepção. Fechamos a cozinha por um dia, almoçamos e jantamos fora, tudo minha culpa. Deixei de crescer três centímetros devido àquela manhã de fracasso.

Já adulto, mato baratas sem piedade. Lamento que não recuperei o atrasado, seria mais vistoso com 1m80.

Talvez tenha adquirido o respeito de minha mulher. Ela também esperneia e solta gritinhos. Não compreendo por que ela sempre sobe no colchão quando vê uma barata. Seu susto brinca de cama elástica. Vou lá e resolvo a pendência com rapidez. Virei um justiceiro implacável e de sangue-frio. Esmago a baranga e limpo com papel higiênico.

Gostaria que Cínthya matasse baratas em nome das mulheres. Mas sei que não posso confiar em mulheres que matam baratas. Fiquei satisfeito quando ela pegou uma mosca com as mãos. E comprimiu os dedos com a pupila tremendamente malévola. Foi uma atitude ninja, de reflexo judoca.

Na verdade, aquilo me deu mais medo do que de minha mãe. Ela me humilhou, eu que mal conseguia apanhar mosquitos. Não pretendo medir minha altura de novo.

VAI SE DEPILAR HOJE?

Não se pode ser bagaceiro sem antes ter intimidade. Não dá para sair falando como se estivesse no quarto; primeiro deve-se atravessar a sala, o corredor, a cozinha.

Safadeza é merecimento. Os atravessadores não merecem o céu da boca. Os apressados não terão a recompensa divina. Os ansiosos desperdiçarão sua chance de Éden. Sou favorável à lentidão, por isso nunca frequentei praia de nudismo. Tampouco sou adepto de swing ou de qualquer prática que banalize a sensualidade.

"Vamos direto à ação" não funciona comigo. Conversa que é a ação, desprezá-la indica apatia e conformismo.

Aparecer pelado de repente é broxante. Não queimo etapas: desvestir as palavras para depois se despir, encontrar o sim dentro do não, achar o amor definitivo dentro de um talvez.

Partilhar a memória só é possível para quem reparte a imaginação. Reprimido não é o que não confessa seu passado, é o que não consegue expor suas fantasias.

Entendo a decepção da esposa quando ela volta do banheiro e seu marido já a espera pronto na cama. Direto. Apartado de preliminar e provocações. É pior ainda quando ele nem está excitado.

Tão mais prazeroso quando um tira a roupa do outro e se roça e se enreda de sinais. Não dependemos de música ambiente, desde que sejamos envolvidos pela respiração de nossa companhia. Respirar perto e acelerado prepara o gemido.

Gosto quando a mulher está sem calcinha, mas que não surja nua de assalto. Como materialização do túnel do tempo. Que seja um pouco difícil para me sentir importante. Quero deixá-la à vontade para criaı vontade.

A sugestão feminina é uma dádiva. Aquela que diz de cara que está molhada e úmida veio de um filme pornô. Nem sequer leu o roteiro.

Assanhamento pressupõe a malícia de declarar a intenção não entregando o sentido de bandeja. Admiro as mulheres que insinuam, sempre criativas, não facilitando os lençóis. Testam a inteligência do seu parceiro.

Por exemplo, sei que minha namorada está a fim quando avisa, despretensiosamente (isso é importante!), que foi no salão. Quando indisposta, lamentará que não teve tempo.

"Eu vou me depilar hoje" é a senha. Desnecessário o convite literal. Cresço de alegria. A verdadeira terapeuta sexual é a depiladora, é a que resolve as brigas e as discussões. Eu amo todas as depiladoras do mundo pela alegria noturna que oferecem aos homens. São as madrinhas morais de nossa imoralidade.

Sexo pede respeito. Sem respeito, como iremos perdê-lo no decorrer do enlace?

XIXI DE PORTA ABERTA

Duas gurias trocavam confidências na janela do bar Ocidente. Pensei que estivessem falando eslavo, alemão, russo; não definia a língua. Do mundaréu de chiados, saltavam palavras como saudade, vingança, grosseria, que me abrasileiravam de novo. Era mesmo português, mas modo queda livre.

Fui notando que mulheres conversam assim, com o triplo da velocidade de um papo masculino. São como feirantes vendendo os abacaxis e os morangos dos relacionamentos. Emendam cenas, comentam o passado, atalham o futuro, zoam e se confortam em seguida. Evidente que a explicação para o excessivo conteúdo em poucos minutos é que estavam com a conversa atrasada. Não vale, mulher já nasceu com conversa atrasada.

É impraticável acompanhar, ainda que seja o próprio idioma. Baqueei somente de olhar.

O que me leva a crer que — pela comparação — toda esposa se comunica com o marido como se ele fosse um retardado. Lenta, maternal, didática. Chega a apontar para facilitar o entendimento. Apenas aumenta a rapidez do raciocínio na briga; daí não adianta, ninguém escuta mais.

O que me leva a comprovar a aptidão da fêmea para iniciar diferentes assuntos e não terminar nenhum. Mulher acumula inícios. O homem tem dificuldade de começar, por isso é absolutamente linear e monotemático. Quando seu macho fala de futebol, vai falar de futebol até o fim. Perca a fé de que ele possa mudar o tema e o canal.

O que me leva a entender o hábito bem irritante da mulher de fazer xixi de porta aberta. Ela não pretende interromper a conversa. Nunca. De forma nenhuma. Pra quê? É a sua diversão, com ou sem motivo. Xixi é irrelevante perto da possibilidade de esmiuçar dilemas de seu dia e fofocar sobre o trabalho.

Tanto que há um silêncio mortal no banheiro público masculino e um alarido descomunal no feminino.

Minha mulher entra no toalete de nossa casa e continua papeando. Dispensa licença. Nos primeiros momentos, ficava mudo, esperando que ela terminasse. Mas ela gritava: — Não tá me ouvindo? — E me obrigava a responder, apesar do barulho da descarga e da torneira.

Como qualquer barbudo, eu fracasso na adoção de sua mania. Tenho problema de conversar enquanto tento acertar o alvo, operação que despende concentração e domínio total das forças. Naquela hora, não presto para oferecer conselhos, ser simpático, muito menos dizer "eu te amo". O alívio do esguicho altera a dicção, vem um gemido do fundo do pulmão. Falta tecnologia mesmo no corpo.

O que me leva a concluir que não tem jeito; sou burro como uma porta fechada.

QUEBRA-CABEÇA DE CINCO MIL PEÇAS

Troco os objetos de lugar para que minha mulher fale comigo.

Funciona perfeitamente. Ela, que demora a colocar a alma no corpo, de manhã acaba conversando mais do que esperava.

— Onde está meu cinto?

— Viu meu celular?

— Cadê meus óculos de sol?

Vou respondendo como um quiz show, um sábio dos esconderijos:

— Na segunda gaveta.

— Está carregando na sala.

— No porta-luvas do carro.

Forjo importâncias. Com o pretexto de salvá-la dos atrasos do trabalho. Ela acorda às 8h30, tem meia hora para se arrumar e outros trinta minutos para chegar à clínica.

É evidente que ela não perderia tempo se eu deixasse sua bagunça em ordem, acharia mais rápido as urgências, mas crio uma falsa eternidade, uma falsa ordem, para dar a sensação de que cuido dela e ainda me preocupo com a limpeza.

O marido mais torturador é o metido a faxineiro. Não vem com o caminhão de mudança, é o caminhão de mudança. Aquele que entra em sua casa como namorado e, na primeira semana, promove uma limpeza geral, com o objetivo de recuperá-la dos vícios. Trata-se de um escorpiano ou um dominador. Ou os dois. A disposição é tanta que passa a temer sua intenção de preparar a salada de maionese do churrasco.

O tipo não se contenta em exercitar seu transtorno obsessivo-compulsivo, pretende emprestá-lo. É um TOC solidário.

Você conclui que foi uma ideia estúpida alcançar uma cópia da chave. A chave é a verdadeira escova de dentes que inicia o casamento. Toda a fechadura é um copo que transborda.

Mal entra na sala, enxerga o piso brilhando, encerado, e bate o pavor: as pilhas de papéis importantes estão guardadas não se sabe onde, quer cortar a unha e a tesourinha desapareceu da mira, o prontuário de receitas repousa em uma caixinha anônima na lavanderia. Afora as toalhas, as calças, os vestidos.

E nem pode reclamar, nem pode xingar. Porque os piores atos são feitos para o bem. E isso é um costume do amor.

O arranjo das flores, no centro da mesa, pede sexo de agradecimento. E ficará chato dizer: — Não toque mais nas minhas coisas. — Engolirá a raiva e permanecerá entontecida em seus próprios domínios, tentando completar diariamente o quebra-cabeça de cinco mil peças.

Uma mulher odeia que a gente mexa em sua bolsa, mas não fez nenhuma restrição em alterar o trajeto dos seus pertences fora do ferrolho. Não colocou nas resoluções do condomínio.

Coitada de Cínthya. Tirou a chave da bolsa, já é minha. Tirou o pente, já é meu. Tirou o filtro solar, já ponho no armário do banheiro.

E ela pensará em mim várias vezes durante o expediente.

— Onde ele colocou, onde ele colocou, onde ele colocou... minha vida?

E não devolvo.

QUANDO O HOMEM FINGIR O ORGASMO

As mulheres queimaram a calcinha, o sutiã e as pantufas. Os homens incineraram as ceroulas e os pijamas listrados. Não há mais nenhuma revolução sexual. Depois do anticoncepcional e do Viagra, a impressão é que os tabus foram superados e não desponta recorde a ser quebrado no horizonte.

Você se engana. A mais complicada mudança de costumes ainda não aconteceu: o fingimento masculino do orgasmo. Aguardo uma pílula que amplie o nosso repertório.

Seria nossa libertação das garras e caprichos das lobas e lolitas. Se a mulher saiu da cozinha, o homem não abandonou o quarto. Está algemado na cama de seu corpo. Da forma atual, seremos sempre dependentes. Não há como se safar. Manteremos a pose de sexo frágil da relação, submissos e súditos. É uma injustiça ultrajante, nos privaram do benefício de falsear, testar gemidos, recorrer a playback, enganar a plateia. É tudo real, honesto e verdadeiro. Uma sinceridade imperdoável. Entregamos na hora se amamos ou não, se estamos felizes ou não; dispensável o interrogatório.

Nenhuma namorada busca conferir o orgasmo do seu parceiro. Não merecemos nem a pergunta. Não desfrutamos do mistério, da hesitação, do enamoramento entre o claro e o escuro. Não conhecemos a dúvida, filhos da certeza por toda a eternidade. O grito e o tremor nos entregam. A ausência de chance de mentir no sexo faz com que a gente tente descontar fora dali, contando vantagens na profissão.

O homem pode enganar pulando da cena com a camisinha intacta. Mas não gera a mesma graça. No sexo tântrico, corre o boato de que é possível gozar sem ejacular, porém nenhuma esposa é santa para acreditar nesta história; dirá apenas que broxamos e pedirá na lata para confessar o nome da outra.

O progresso carnal virá com o fingimento do macho. É o que falta para a civilização confirmar a igualdade. É o último degrau. Distanciado de truques e evasivas, terá que ser encarando a vítima. Como no teatro da crueldade: simular olho no olho, boca na boca, ouvido a ouvido. Reservaremos um dia na semana para aula de canto, exercitaremos o pompoarismo das cordas vocais. Ela ficará indecisa se agradou, louca para questionar e nos bater com o travesseiro, prestes a nos sacudir pelo veredicto. E não falaremos nada, observaremos o teto com ares de abóbora e dormiremos de conchinha.

Assim a mulher saberá, finalmente, o quanto sofremos até hoje para descobrir se ela gozou.

BOA-NOITE

Dormir é um negócio sério na vida adulta. Na infância é um castigo. Na adolescência é uma escolha.

Na maturidade compreende-se finalmente a gravidade de repor oito horas de sono para não arcar com os efeitos colaterais no trabalho.

Minha mulher respeita o expediente noturno com afinco. Sua cômoda é um santuário; não dá para mexer na ordem: os livrinhos, o abajur e um copo d'água.

Ela dorme bonita e acorda com a delicadeza de um cílio no rosto. Não é remela, é cílio, sempre há um cílio caído, uma pétala das pálpebras, que trato de retirar com alegria.

— Só um minutinho — e ela oferece o rosto. Já conhece meu gesto.

Seu sono é pesado, mas tem uma coreografia delicada de quem frequentou aulas de piano ou balé. O interessante é o jeito como segura o lençol, dobra as pernas, ronrona devagar e me agarra como se estivesse regressando de longa viagem ou chegando naquele momento de uma bebedeira. Suas palavras desconexas são o tempero da noite.

Descubro que apagou quando faz beicinho. Mais do que esticar as pernas. Mais do que deixar uma pergunta no vácuo.

Seu beicinho parece pedir um beijo proibido.

O grande atestado de beleza feminina é o descanso. Há tanta rainha de bateria e porta-bandeira que dorme feio, com pose de suicida. Estatelada na cama, com uma poça de baba no travesseiro. Afora algumas espécies que roncam como se fossem um avô asmático ou um motor de ônibus escolar.

No concurso de miss, deveria ser criada uma etapa eliminatória, onde uma câmera flagra o sono das concorrentes no hotel. Muitos países entrariam em desespero para achar sua representante. Há um ingrediente erótico e de insuperável estética no repouso. Cinderela e Branca de Neve não perdem patavina da formosura. Estão maquiadas, tranquilas. Pena que não se movimentam como Cínthya.

Respeitar o sono de sua esposa ou namorada é uma arte. Demoramos para aprender. Mas que seja antes de enfrentar sua insônia.

Quando uma mulher acorda de repente de madrugada e fracassa ao retomar o sonho, ela é capaz de cutucá-lo, mesmo enxergando que você tosquiou todos os carneirinhos e relaxa no mais remoto feno:

— Ei, amor, você também está acordado? Vamos conversar?

VIÚVA ALEGRE

Cada um sofre como pode. Alguns precisam se retirar por dias e permanecer incomunicáveis. Outros nem deixam a dor esfriar e vão para festas.

Não há padrão de comportamento. As paredes são árvores, as árvores são paredes.

Mas existe um preconceito com quem reage com senso de humor. Pois se voltou a trabalhar e a sorrir é como se não estivesse sofrendo. O luto determina um protocolo de solenidade de governo: choradeira, náusea e comiseração.

Não dá para passar a palavra antes das lágrimas.

Sou estranho. Uma viúva alegre. Podem me condenar, preparar uma fogueira na Praça da Matriz. Eu me recupero com ligeireza porque sou pai. A paternidade é minha sobrevida.

Não vou forçar meus filhos a sofrer comigo. O luto é meu, não deles. Não ficarei duas horas chorando e assoando o nariz para constrangê-los com minha vulnerabilidade. Não utilizarei nenhuma desculpa para não cumprir as atividades. O almoço me chama, a escola me chama, os deveres me chamam, as tarefas de organização da casa me chamam, atendo, mesmo quando não estou em mim. Não irei diminuir meu ritmo, apesar de somente pensar na incurável distância da mulher que amo.

Há de tocar a vida mesmo que o corpo seja mais lento e menos obediente. Não que eu não deixe de sentir, eu não me excluo de sentir nada. Mas não sinto somente isso. Não construirei arquibancadas para o grito. Dispenso a exclusividade. Apenas não posso me sentar e me esbaldar na cama, no escuro, penarei de pé, andando apressado pelos corredores, girando pelas salas, conversando suspirado, misturando as lembranças boas com as ruins. Não me fixarei no problema para odiar alguém. Sou contrário a mobilizar nossas forças e nossa disciplina para não ter dúvidas. Eu adoro as dúvidas. As dúvidas regeneram as verdades. Uma verdade parada não é paz, é abandono.

Arco com toda pontada e naufrágio amoroso, ao mesmo tempo que conservo os cuidados paternos.

Suspeite dos tumultos. Não mostrar o sangue não elimina a chance de hemorragia. Assim como encontro as caretas mais assustadoras na comédia, não em filmes de terror.

O riso é catarse. O riso é muito mais nervoso do que a coriza. O riso é mais um jeito de gemer.

Meu sofrimento não é cerimonioso. Vou me distribuindo entre telefonemas e crônicas. Parcelando a angústia. Guardo a consciência de que não resolverei a dívida afetiva à vista. Não mentirei fundos. Não me envergonho da falta, do vazio, não me encabulo de pedir ajuda o quanto antes. Não espalharei embalagens de comida chinesa e redomas de papelão de pizza pela sala, não convidarei moscas e baratas para coroar a tortura, ou permitirei que a barba cresça; atenderei o interfone, não sumirei para chamar atenção. O suicídio faz um drama excessivo, as pequenas mortes se contentam com a humildade de uma cruz e um nome.

Não enxergará uma anormalidade em minha fossa. Meu quarto estará limpo como num dia de trabalho, a louça estará lavada.

A explicação é simples: aquele que é capaz de atender uma tele-entrega tem condições de voltar a atender sua vida.

Criarei as pequenas desculpas para me aliviar dos grandes medos. Sintomático que, na enxaqueca, procuro primeiro um AAS infantil, para depois admitir que cresci, e dependo de uma aspirina adulta.

Não me dou nem o direito de jejum, de emagrecer, de afundar olheiras. Esperneio os olhos com cebolas e sigo viagem pelos varais. Não conheço tempo para drama. Não gozo do direito da frescura. O luxo de parar a rotina e me exilar na chácara de um amigo. Eu mesmo me sirvo e me atendo. Não é errado procurar a solidão, curtir o couro e ajeitar as fotografias por ordem de datas. Tampouco estou errado. As mães me entendem. Talvez transmita a ideia de reprimido. Não creio que seja.

Lenços, para quê? Os abraços do filho e da filha são lençóis e me põem a dormir acordado.

O sol lava a minha cara. O suor é a mesma água da lágrima e mata igualmente a sede.

SOGRO

O sogro é um tipo temido, e não tem lógica ser diferente. Seu papel é defender a filha do desamor e, principalmente, do amor. Quando acolhe muito bem um candidato no primeiro encontro, desconfie do fim próximo da relação. Sugere que sua namorada troca de parceiro toda semana. Deve estar acostumado a receber a sequência de namorados e não perderá tempo comprando briga ou testando personalidades. Afável e carinhoso na aparência porque convicto de que não precisará mais vê-lo. A reação do sogro entrega mais o passado da moça do que hipnose. Expressões simpáticas como "a casa é sua" ou "volte sempre" indicam o contrário. Sogro algum oferece a intimidade de bandeja.

Ele tem mais regras do que o CTG. Dissimulado, não expressa diretamente o que sente. Sogro bondoso não existe se a paixão é verdadeira. Somente gostará de você se tem ganas de enforcá-lo. Genro é o filho indesejado, onde não se oculta o desejo de aborto.

Não tive facilidade com a Cínthya. Não sou príncipe, nem o cavalo branco. Doutor Ciro, seu querido pai, foi meu serviço militar, logo eu que não servi.

Ele me tratou tão mal, que suspeitei da chance de casamento. Não era um problema, mas um trauma: homem oito anos mais velho, dois filhos, separado, escritor e de unhas pintadas. O que poderia ser pior para quem alimentava esperança de um partido perfeito? Como explicar que sua Barbie largara o sonho do Ken e se encontrava escondido com Frankenstein?

Ou ele se matava ou me matava. Adotou a segunda opção. Apareci num almoço de sábado, e ele me ignorou, sequer pronunciou meu nome. Duas horas de completa invisibilidade. Cínthya se esforçou para me introduzir no seio familiar. Não saiu leite, apenas pedra. Ela arriscava:

— O Fabrício é colorado, tem cadeira no estádio...

E Dr. Ciro pedia para passar a salada, enterrava assuntos com a contundência do garfo.

Depois, em casa, reclamei da humilhação. Generosamente, a namorada reeditou uma revanche. O Natal permitiria a quebra do silêncio. Comprei um uísque doze anos. Não esperava nenhum pacote, só rezava para não embrulhar novamente o estômago. Mas ele me entregou uma sacolinha. Despejei uma gargalhada, a felicidade existiu até desvendar o conteúdo. Uma camiseta rosa! É evidente que ele insinuava a homoafetividade de meu estilo. Agradeci, e abandonei a fé para curtir o inferno.

Ele não confia em mim, apesar dos dois anos de convivência, porém lança sinais de que me suporta. Um dia chegou até a me telefonar, não descarto a hipótese de engano. Outro dia, confessou que pretende ensinar meu filho a assar churrasco — faço de conta que não entendi a provocação.

NOME HERMAFRODITA

Na escola, odiava quando os guris me chamavam de Fabrícia. Gritava, corria atrás do bando; aquilo me enervava, não tolerava que me colocassem no feminino. Não havia como me controlar. As brincadeiras mais ofensivas são as mais ridículas. Suportava qualquer apelido de filme de terror, como Leatherface, Freddy Krueger ou Jason. Mas Fabrícia me tirava do sério. Vinha o desejo de retirar uma serra elétrica da mochila ou portar um chapéu negro ou uma máscara branca para reaver a fama de horrível. Que fosse um monstro, mas viril. Sem dúvidas de gênero.

Era sortudo, mal sabia. Faço parte de um time definido. Truncada é a vida de quem apresenta nome hermafrodita. Um nome que serve para os dois lados. Não me causam compaixão pessoas como Bucetilde, Etelvina ou Himineu. Trato com o maior respeito. Todo nome que precisa ser soletrado já merecia receber o passaporte com a certidão de nascimento.

A denominação hermafrodita é que me abala. Nada sai conforme esperado, ainda mais longe do contato visual. Estou cantando o sujeito quando busco ser cortês com uma moça, estou ofendendo uma senhora quando procuro ser simples com um homem. É o crime insolúvel da língua portuguesa, enigma que nem o folclorista Câmara Cascudo e o linguista Antonio Houaiss conseguiram resolver juntos. Embarga a convivência, embaralha modos e preposições, destrói amizades na nascente.

O detentor de nome hermafrodita necessitaria ser precedido por Sr., Sra e Srta. Evitaria confusão. Porque os pais não facilitaram o desejo sexual. Numa mensagem eletrônica, me despedi do escritor Alcione com beijos. Pensava na cantora. O missivista rebateu a gracinha com secura: "Obrigado, mas pode se conter um pouco?"

Atravessei inúmeros vexames ao longo da escrita e da voz. Perguntei a um Odair se ele era o terror das empregadas, levado pela imagem de Odair José, e o timbre afeminado respondeu que não era lésbica.

Troquei mensagens no MSN com um Eurípedes. Lembrando o autor grego, brinquei que sua vida com a namorada deveria ser uma tragédia, e a Eurípedes perguntou se sempre era grosso no primeiro contato. Não houve um segundo papo para ser gentil.

Falei para um Merlin, motivado pela lenda do rei Arthur, que considerava seu batismo uma bruxaria, e a Merlin desapareceu como bruma. Assim foi com Alisson, Ariel, Donizete, Rosimar, Zezé...

Não dá para ser engraçadinho ou carinhoso com quem tem nome hermafrodita. Muito menos sério, que a conversa terminará sempre em constrangimento. Só tenho vontade de pedir desculpa.

TE ESPERO!

A vizinha de poltrona não cansava de tirar fotografias da janela. Descíamos em Porto Alegre. Nenhuma foto saía, espiava o recado pelo visor: low battery. Mas ela desligava e acendia a máquina, confiando que de repente encontraria energia para uma última imagem. Repetiu a operação dezenas de vezes. Sua persistência incomodava. Queria explicar: "Vê essa mensagem? Sossega!" A esperança do outro é burrice para a gente.

Admiti, aos poucos, que ela tinha o direito de acreditar, que a esperança não usa bateria; toda esperança é burra. E não renuncio a minhas tolices pela inteligência dos céticos. Mantenho as crenças até o fim. Uma delas é ser amado como jamais me amei. Faço de tudo para o relacionamento dar certo, desligo e ligo, se preciso.

Sinto-me inteiramente enamorado regressando de viagem. Não resisto aos abraços de aeroporto e rodoviária — são os melhores.

Eu me enxergo importante quando a esposa e os filhos me aguardam no saguão com aquela mirada lânguida, mesclada de sono e carência. Não me dirijo para a porta de saída, logo derrubo as malas para subir nos ombros deles no meio do caminho. Desengonçado de carinho: beijo a nuca dela e levo o brinco junto, cheiro o pescoço das crianças e arranho o rosto. Eles me perdoam porque estou chegando.

Ao retornar de uma viagem, banco o exilado político, parece que são décadas que estou longe de minha terra natal, mesmo que tenha saído ontem.

Viajar somente vale se houver alguém nos esperando. Quando desembarco, me emociono com o que vejo ao redor, familiares se envolvendo em choros involuntários e risadas estrépitas. É como arquibancada de estádio, vontade de se meter na comemoração dos demais e ajudar a gritar. Quem volta tem uma irmandade selvagem, não será nunca um estranho, torce para um único time: a saudade.

Ainda fico mais tocado se, na caminhada ao estacionamento, recebo perguntas simples e reconfortantes como "O voo atrasou?", "Está cansado?". Seguem também cuidados de acolhimento, que nos acostumam a viver de novo, como "Deixei o carro perto", "Guardei comida, acho que está com fome".

Nem sempre foi assim. Na saída da escola, eu me assustava ao observar a mãe no portão. Não era vergonha, ela vinha em último caso, quando havia notícia ruim. O sangue gelava: ou um parente morrera ou os pais brigaram ou tinha que ir ao médico para exame. Preferia regressar sozinho, chutando pinhas nas bocas de lobo.

Hoje sei que minha solidão pessimista se transformou em esperança.

VOCÊ TEM QUE ME LER

É antropológico: mulher odeia ser mandada. São séculos e séculos de opressão. Não dê corda, que já cheira a forca. Vale, inclusive, para a masoquista. Gosta de firmeza, não que alguém diga o que ela deve ou não fazer. Não seja autoritário. O feminismo não é conversa de sapatão.

Que aconselhe, não emplaque uma ordem. Que ofereça um palpite, este é despretensioso como um assobio; é soprar uma melodia e permitir espaço para que ela complete a letra. Finja que está no chuveiro — menor o risco de se afogar. Fale cantado. Quem canta nunca será um ditador.

Posso estar plenamente equivocado, sou tão bonito quanto carro de eletricista, mas mulher aprecia é sentir saudade. Quando o homem desaparece e ela corre para procurá-lo. São coisas do cotidiano. Fui percebendo que a conversa com a minha esposa estragava sempre do mesmo jeito. Havia um método no erro. Uma insistência de minha parte. Uma frase morse que truncava o entendimento. Depois que pronunciava aquilo, nada mais funcionava. Da calmaria, ela migrava para um estado nervoso e impaciente. A transformação de sua atitude me transtornava: "O que foi? Será que perdi algo?" Retrocedia para caçar uma gafe. Cansei até captar o sinal. O homem ainda tenta melhorar sua imagem com o bombril na antena.

Eu dizia "Você tem que" a cada início de diálogo. Impositivo, não agia por mal, era um hábito, buscava convencer com "Você tem que". Parecia que tinha a solução dos problemas da Terra. Persuasão é a sedução para quem não tem paciência. Meu caso; não cuidava da linguagem e depois estranhava o silêncio dela. "Você tem que" é um mandado de segurança. É atestar que ela não desfruta de condições de conduzir a própria vida. Virava um segundo pai, determinando suas atitudes. Fugia da cumplicidade, vinha com os mandamentos e as condicionais de comportamento para que merecesse a mesada.

O homem não botou na cabeça que a fragilidade da mulher não é dependência. Ela não precisa ser protegida, e sim respeitada. Existe uma diferença aguda no tratamento. Depois que ela fica braba não adianta remendar. Emerge um pânico das cavernas, o receio de ser puxada pelos cabelos e pelas palavras. Igual é chamá-la de louca no meio de uma discussão.

Quem não encheu o pulmão para desabafar "Você está louca!", com aquele grito catártico, que serve como elevador para todo o prédio? Eu confesso, mais de uma vez. É novamente afirmar que ela não tem domínio, que nem sabe o que está falando e menosprezar sua opinião. Pode até ser louca, mas não chame de louca, senão ela não vai recuperar o juízo. Na história do pensamento, quantas mulheres foram enviadas para o hospício devido a sua autonomia? Quantas receberam eletrochoque ou sofreram lobotomia em função da independência de estilo? Significa um joanete ancestral, um calo antiquíssimo, não pise.

Joana d'Arc não foi uma bruxa. Assim como vassoura não é para voar, é para varrer qualquer sujeira machista dentro de casa.

QUANTAS VEZES EU ASSASSINEI O AMOR?

O amor nunca morre de morte natural. Anaïs Nin estava certa.

Morre porque o matamos ou o deixamos morrer.

Morre envenenado pela angústia. Morre enforcado pelo abraço. Morre esfaqueado pelas costas. Morre eletrocutado pela sinceridade. Morre atropelado pela grosseria. Morre sufocado pela desavença.

Mortes patéticas, cruéis, sem obituário e missa de sétimo dia.

Mortes sem sangramento. Lavadas. Com os ossos e as lembranças deslocados.

O amor não morre de velhice, em paz com a cama e com a fortuna dos dedos.

Morre com um beijo dado sem ênfase. Um dia morno. Uma indiferença. Uma conversa surda. Morre porque queremos que morra. Decidimos que ele está morto. Facilitamos seu estremecimento.

O amor não poderia morrer, ele não tem fim. Nós é que criamos a despedida por não suportar sua longevidade. Por invejar que ele seja maior do que a nossa vida.

O fim do amor não será suicídio. O amor é sempre homicídio. A boca estará estranhamente carregada.

Repassei os olhos pelos meus namoros e casamentos. Permiti que o amor morresse. Eu o vi indo para o mar de noite e não socorri. Eu vi que ele poderia escorregar dos andares da memória e não apressei o corrimão. Não avisei ao amor no primeiro sinal de fraqueza. No primeiro acidente. Aceitei que desmoronasse, não levantei as ruínas sobre o passado. Orgulhoso, não me arrependi. Meu orgulho não salvou ninguém. O orgulho não salva; coleciona mortos.

No mínimo, merecia ser incriminado por omissão.

Mas talvez eu tenha matado meus amores. Um serial killer. Perigoso, silencioso, como todos os amantes, com aparência inofensiva de balconista. Fiz da dor uma alegria quando não restava alegria.

Mato; não confesso e repito os rituais. Escondo o corpo dela em meu próprio corpo. Durmo suando frio e disfarço que foi um pesadelo. Queimo o que fui. E recomeço, com a certeza de que não houve testemunhas.

Mato porque não tolero o contraponto. A divergência. Mato porque ela conheceu meu lado escuro e estou envergonhado. Mato e mudo de personalidade, ao invés de conviver com minhas personalidades inacabadas e falhas.

Mato porque aguardava o elogio e recebia de volta a verdade.

O amor é perigoso para quem não resolveu seus problemas. O amor delata, o amor incomoda, o amor ofende, fala as coisas mais extraordinárias sem recuar. O amor é a boca suja. O amor repetirá na cozinha o que foi contado em segredo no quarto. O amor vai abrir o assoalho, o porão proibido, faxinar em sua casa. Colocar fora o que precisava, reintegrar ao armário o que temia rever.

O amor é sempre assassinado. Para confiarmos a nossa vida a outra pessoa, devemos saber o que fizemos antes com ela.

A IMPORTÂNCIA DO TIO PARA A EVOLUÇÃO DA ESPÉCIE

Toda família tem um tio fracassado. Aquele tio que não se firmou em nenhum emprego. Ou um tio tarado, de quem erramos o nome da nova esposa.

É uma figura essencial para o equilíbrio genealógico. Será a fonte de fofocas na falta de assunto durante as datas festivas. Em caso de silêncio fúnebre na hora do pernil, é alguém perguntar "E como está o tio?", e a maldade alegre volta a correr solta.

Tio é o único parente que pode ser nosso ou não, dependendo das circunstâncias. Um ioiô de nossas vontades. Um curinga do nosso oportunismo. Se ele comete um crime, nunca ouvi seu nome, é muito distante. Se ele fica milionário, é irmão de meu pai ou de minha mãe, achegado demais, um padrinho espiritual.

Falo de cadeira cativa, sou tio, nem quero descobrir qual o meu papel para os dois filhos de Carla. Talvez seja o do tarado e do fracassado simultaneamente.

O bom de exercer essa função intelectual é que não temos noção do que representamos para os outros. O tio é o que nos mantém jovens, uma década mais velho ou alguns anos a mais, porém sempre acabado ou vítima de uma recuperação difícil, o que dá no mesmo para assegurar o viço de nossa aparência. Em função de sua coragem (que para muitos é inconsequência), alimento uma admiração clandestina pelo personagem.

Pois encontrei com o tio Daciano no último final de semana. Simpático, fanfarrão e encharcado de uma felicidade pouco educada (como deve ser a autêntica felicidade). Foi num churrasco de improviso, em que sobram copos e os pratos não são suficientes. Ele mora no Acre. Não entendo direito do que vive, acho que é de transporte de carga.

Nossas conversas eram tomadas por demonstrações. Eu pretendi antecipar seu sofrimento com o inverno gaúcho. Negaceou com os dentes e mostrou sua jaqueta de couro, toda forrada de lã.

— Não sofro, vê essa jaqueta?

Toquei na blindagem, analisei o zíper e elogiei seu aspecto imponente de armadura.

— Comprei por R$ 50 na Bolívia. Tenho três na mala.

Mudei de tema e confessei que meu relógio machucava o pulso, apesar de não abdicar de pulseira grande, chamariz da curiosidade feminina. Ele riu, e retirou três exemplares de sua jaqueta.

— Comprei por R$ 80 na Bolívia. Troco a cada viagem. Quer ver?

Arrisquei comentar de perfumes, que meu refil da Diesel terminara. Ele sacou três vidros de um bolso secreto da jaqueta: Jean-Paul Gaultier, Carolina Herrera e Armani.

— Experimenta! Comprei na Bolívia pela metade do preço. São de 50 ml.

Depois de borrifadas e testes, lamentei que não havia café para lavar a respiração. Que nada, ele arrancou um saquinho de grãos dos fundilhos da calça, e estava resolvido o impasse.

Eu me enxerguei diante de um colecionador. Um mágico retirando das mangas o Zoológico de Sapucaia. Ele agia como um expositor ambulante. Encarnava o casamento da revista da Avon com a Enciclopédia Mirador. Sua língua imprimia preços de passagens, de celulares, de computadores, de iPods. E fechava a vitrine tocando em meus ombros, num suspiro samaritano: "Fabrício, está pagando caro sua vida..."

Quando ele começou a falar de sua mulher, não resisti:

— Já sei, conheceu na Bolívia.

ESTRATÉGIAS DE SEDUÇÃO

A mulher tem uma manha terrível, um ardil implacável de sedução. Qualquer macho sucumbe. Qualquer. Pode ser um diplomata, um gari, um doutor pela Sorbonne XXXV, um eletricista. Não foi criado um sistema de proteção; ainda somos presas fáceis.

É quando ela sussurra no ouvido que está sem calcinha. Mesmo que seja uma mentira, funciona. O sujeito engasga, extravia a linha de raciocínio, logo baba, perde a língua em ataque epiléptico. Experimentará um transe messiânico, atordoado com a revelação. Trata-se de um convite? Quem diz que não é maldade?

Toda mulher fala que está sem calcinha rindo, o que irrita sua vítima. O barbado buscará se certificar, espiando os joelhos, reparando nas dobras, com os olhos vidrados de um tarado. Não acreditará no milagre. Cometerá uma gafe, um escorregão, derrubará a cerveja na roupa, tropeçará no cadarço, praticará algo idiota como encará-la para avisar que irá ao banheiro. E voltará do banheiro duas vezes idiota porque ela sequer se levantou da cadeira.

É uma confidência imbatível a que somente as mulheres têm direito. Se o homem declara que está sem cueca, vai sugerir — no máximo — que é um porco. Não será nem um pouco excitante.

Mas, após décadas de experimento, desvendei uma estratégia masculina de efeito semelhante. Não faço churrasco, nunca convidei amigos para uma carne no final de semana. Meu pai se separou cedo da mãe e não me transmitiu o legado e a arte do sal grosso. Azar; não há churrasqueira que não sirva de lareira.

Do que não abro mão é comprar o saco de carvão no mercado. Nenhuma fêmea resiste a um homem carregando um saco de carvão. Com os dedos sujos de graxa. Apanhando a argola de papel com desleixo. Como se não fosse pesado.

Num único lance promocional, é oferecer as fantasias eróticas de mecânico e de peão. É mais imbatível do que escolher carne no açougue. Mais imbatível do que recusar a carne no açougue (a maior parte dos clientes discorda do açougueiro para se exibir ao mulherio).

Atravessar os corredores de laticínios e refrigerantes com um saco de carvão representa a suprema glória viril. Supera o óleo nos bíceps dos halterofilistas. É reconquistar o fogo. É se fardar completamente ao sexo.

Não precisa ser musculoso, apenas desalinhado. A cena depende de preciosos detalhes. Suje a calça na hora de pagar e não dê bola para a mancha, provando que estaria disposto a rolar num barranco. Largue o pacote na esteira com um estrondo, para impor passionalidade. E pague com um maço bêbado de notas, retirado do bolso da frente. Não tire a carteira sob hipótese alguma, que seria uma atitude educada e fria.

Todo domingo, repito esse ato sagrado. Tenho um estoque de sacos no porão. É meu jeito de estar sem calcinha.

AS BORBOLETAS ESCAPAM DAS GRAVATAS

O garçom pode destruir a vida amorosa de um homem. É ignorar nosso dedo, que começa o martírio diante da mulher. Na primeira recusa, fazemos uma piadinha sem graça tipo "Ele quer que a gente fique mais tempo no restaurante". Mas a desatenção abala a confiança. Não temos certeza se levantamos a segunda vez, o estoque de piadas é limitado. Alçamos o indicador, e ele repete o desdém. Vira para o outro lado no instante exato do gesto. A namorada desliza a uma compaixão perigosa, próxima da decepção. Tento reverter com outro gracejo: "Está vazio mesmo, estamos fazendo número para chamar clientes." Ela ri somente com as covinhas, enterrando devagar minha reputação. A terceira insistência é a mais complicada. Se errar, não tem volta, é como senha de banco. Daí ergo o punho, grito "Ó amigo" e assobio, aperto a cartela de botões do PlayStation para destruir o inimigo. Ele vem com uma ingenuidade de quem chegou agora no mundo, disfarçando que não me viu antes. Com aqueles olhos pela metade de passarinho nascendo. Meio pálpebra, meio pupila.

Por certo, as professoras me acostumaram mal. O garçom é uma represália adulta ao magistério. Nas aulas, um simples movimento de espreguiçamento ou uma coceira na cabeça, e a professora antevia uma pergunta. Fui mimado quando criança.

Mas aquele garçom não sorria por gentileza. Pela obrigação de receber e servir. Um riso aberto que existia antes de mim. Talvez antes dele.

Vou detalhar melhor meu espanto. Não ostentava um riso de Rivotril. Um riso anestésico. Um riso de maçaneta, de tabuleta dizendo que o expediente estava aberto.

Ele se aproximou e entregou a carta, sutil, estendendo uma segunda toalha de renda.

Ficou perto sem ser insistente. Próximo para ouvir.

E seu riso me turvou, algo estava errado e não entendia o motivo, a ponto de esquecer o pedido. Fui rude, precipitado pelo desconforto.

— Está rindo de quê?

Não revidou o tranco. Com paz tibetana, as mãos no bolso acentuando o temperamento inofensivo, transformou a grosseria em curiosidade.

— Sou assim há vinte e sete anos trabalhando aqui...

Assim como? Era o primeiro garçom feliz de minha vida. O primeiro realmente feliz.

Quando entrei no restaurante Augusto, de Santa Maria, esperava encontrar galeto banhado de tempero. Não imaginava enxergar aquela aberração: um garçom feliz.

Os garçons são, na maioria, afobados, casmurros, ocupados em demasia para mostrar as obturações, carregando andares de porcelana da cozinha para a sala, abrindo portas, recolhendo pratos, decorando extravagâncias (copo com gelo, copo com gelo e limão, carne bem-passada, no ponto, malpassada). Ele, não. Longe de possuir um rosto contrariado, de quem fazia um favor em atender, de quem seria obrigado a interromper seu trajeto, perder tempo e ceder informações irrelevantes. Não se apresentou sádico, fingindo linha reta para não reparar os braços afogados dos clientes. Andava, aliás, compenetrado, observando os dois lados como se houvessem ruas entre as mesas. Destoava da patrulha de gravata borboleta ou uniforme branco e preto que desfila com a cabeça ereta de manequim, com o poder de nos torturar de sede e fome.

Os garçons são fechados, rápidos, exibidos nos malabarismos das bandejas, recebendo ordens na cozinha e sufocando a raiva para conversar com os clientes. Ele, não. Nem um pouco reprimido, deprimido, soberbo de cansaço.

E não era um restaurante pobre, em que os funcionários insinuam que conhecem muito menos do que a gente, onde o garçom transmite o desconforto de primeiro dia de emprego, desidratando uma mistura de nervosismo de estreia e ansiedade pelo fim do turno. Ao perguntar qualquer coisa, ele vai ler o cardápio para procurar o prato. O problema é que lê o cardápio mais do que olha.

E não era um restaurante chique, em que os atendentes nos humilham desde o uso dos talheres. Passam a sensação de que sabem mais do que a gente. O prazer vira escola de bons modos e vigilância dos hábitos. Como relaxar numa mesa mais arrumada do que a nossa casa? Intuo que serei repreendido no primeiro gesto, tal cão em adestramento.

Num refinado endereço paulista, indeciso entre dois vinhos, cometi a imprudência de pedir a opinião ao garçom. Para quê!

Ele me respondeu:

— Sugiro este, mais espesso e com forte ataque aromático.

"Ataque aromático?"

Tive um bloqueio criativo. Uma parada cardíaca nas palavras. Eu me encolhi diante da namorada, eu broxei; não conseguiria falar nada dali para frente que superasse "ataque aromático". Minha modéstia somente surge do fracasso.

Mas aquele garçom feliz — não culto e erudito como o de São Paulo — me irritou muito mais. Não procurava me agradar ou seguir o treinamento da brigada. Abrigava uma simplicidade simpática, espontânea, própria de avô, concedida desobrigada aos netos após cumprida a responsabilidade com os filhos.

Mas me irritou profundamente, mesmo, ao ouvir a ironia de seu nome: Severo.

MINHA *VIAGEM É PELA CASA*

Aceito a caretice. Extraviei o ânimo para camping. Nada mais desalentador do que espiar o dia por um zíper. Numa oca de pano. Acordar agachado e seguir com a impressão de que fui abandonado toda a noite num porão. As costas reclamando da proximidade com a terra e a boca protestando pelo café morno.

Gastei a juventude procurando Woodstock. E só encontrei a lama.

Acampar é trabalhar o dobro para evitar trabalho. O que se desperdiça na preparação e na antecipação dos problemas nunca será recompensado durante a estada.

É aguentar a falta de água quente, conviver em filas de banheiro, rir de piadas sem graça para arrebatar a cumplicidade de estranhos e eliminar o medo de que algum deles seja um psicopata. Nem acredito que percorri duzentos metros com um rolo de papel higiênico nas mãos, com cara de Sonrisal, cumprimentando as pessoas para despistar a necessidade.

Não me contento com a precariedade de festejar uma tomada ou uma lixeira.

Larguei o movimento estudantil na primeira excursão. Desertei de um Congresso do DCE. Já tinha pavor de pedir carona, sofri com a ideia de mendigar um colchonete.

Não lembro nenhum amigo descrevendo experiências prazerosas. O hábito é expor tragédias. Os mochileiros ajudam meus argumentos. Cometem o elogio do masoquismo e das privações. Talvez seja uma mania preventiva, arrumar histórias de superação na adolescência para se vangloriar na velhice.

Soa como miragem. É o mesmo que dizer que é inesquecível transar na areia da praia. Isso é para quem não conhece o Nordestão da orla gaúcha.

Acampamento é um internato voluntário, um serviço militar opcional. Armar barraca, carregar mochila com tudo socado, caminhar oito quilômetros, subir nas pedras, lascar os joelhos, para morrer de frio no topo do monte. Uma hora de caminhada para cinco minutos exclamando o pôr do sol e se convencendo de que a vida é linda perto da natureza.

Sou viciado em janelas, gavetas, guarda-roupa, travesseiros. Minha aventura é mexer nos botões do controle remoto. Procuro o conforto, não o luxo, a quietude das coisas em seu lugar, uma toalha de renda e um vaso de flores me dizendo onde é o centro da casa. Uma sala cheirando a livros e um quarto impregnado do aroma feminino.

Já sobrevivi a enchentes em Santa Catarina, já madruguei inchado de mosquitos em Mato Grosso, já perdi metade dos objetos e aparelhos por distração em Alagoas.

Não venha alegar que me acomodei; é gosto pessoal desde que minha avó colocou bolsa de água quente debaixo das cobertas na infância. Prefiro um quarto aquecido, uma cama fofa, e me recuso a dormir, ao relento, observando as estrelas. O romantismo morreu de pneumonia.

As viagens não me ensinaram a partir, apertaram a saudade e a vocação para voltar.

Não tomei jeito, não fiquei econômico. Não aprendi a fazer uma mala compacta e escolher o que devo levar de essencial e dispensar o que não será usado. Ela está cada vez maior. Com o superficial mesmo. Transbordando inutilidades. Pago excesso de bagagem, mas estou sempre prevenido para o sequestro. Desejo contar com várias opções de roupas para acompanhar a mudança do humor. Vá lá que esteja amarelo e tenha somente verde, vá que desperte vermelho e tenha somente branco. Há dias em que sou demônio; outros dias, pai de santo. Continuo sendo o mais lento no detector de metal. Não deixo de botar o cinto porque ele vai apitar. A cintura está amarrada em minhas convicções.

A única barraca em que entro é a do meu filho debaixo da mesa.

AS PUTAS DA MEMÓRIA

Não consigo mais fechar os olhos. Descobri a transa de olhos abertos. A imaginação se rendeu à nudez.

É como um ex-fumante que recupera o cheiro, o paladar, a brandura da mesa.

Para delirar, observo. Sem fuga, sem partir para outro lugar ou outra lembrança. Injustamente inteiro, migrando entre os gestos. Fixo em cada sequência. Guardando os rascunhos do rio ao levar a canoa para a margem. Não existe a preocupação em estar excitado. Não tenho medo do pau indolente, murcho, de não mostrar serviço e falhar. Aceito o que meu corpo oferece. Desisti de ser gigolô do orgasmo, desisti de pagar as putas da memória. Não seduzo com aquilo que me falta. Não apelo para empréstimos. Não minto façanhas. Não espremo as laranjas das pálpebras em nome da sede.

É exuberante beijar encarando a mulher. Toda pele é macia como uma boca. Todo beijo na pele é beijo na boca. Perdia de enxergar seus olhos assustados acentuando os gritos. O olhar dela em pânico é a maior tranquilidade que um homem pode ter. O pânico do prazer; desaforando, pedindo mais, arrebentando-se em contrações. Demorar em desfazer o abraço das pernas, não se envergonhar da loucura.

DESPACHO DA ESQUINA

Conservo algumas pistas sobre a acidentada existência masculina. Pistas!, pois não tenho caminho; só o morto tem.

Antecipo uma delas. Na ausência de culpa, o homem reage mansamente quando sua mulher mexe no seu e-mail, no seu celular ou revista sua carteira. Não fará drama, não subirá no palanque para prometer pena de morte. Ficará ofendido, claro, mas não acabará com o relacionamento, muito menos despejará frases cortantes como "não dá mais". Acompanhará o que ela tem a dizer e tratará de explicar ponto a ponto, redimindo enganos e distorções.

Marido inocente tem paciência. É incrível, sente-se feliz pela rara chance de exibir a ficha limpa e protagonizar merchandising da aliança. Desenvolverá uma generosidade imprevisível, dará colo ao choro e pedirá que ela esqueça o desentendimento.

Ele é uma fera apenas quando sabe que tem alguma coisa de errado. Ao aprontar e fazer jogo duplo. Ao manter mensagens duvidosas e insinuações comprometedoras das outras.

Não está magoado porque ela fuçou seus pertences (já perdoou a mãe por procurar toco de maconha em suas roupas), mas porque é bem provável que ela encontrou uma prova.

O pânico é a manifestação do crime. Tentará reverter sua posição defensiva em alucinado ataque, encenará a sina de vítima, com a ladainha de que viver assim é doentio ou de que amor nada é longe da confiança.

Quem não deve não teme e paga antecipado. Homem culpado é mais afetado do que mulher histérica. Uma ópera de leques e bufos. Negará, antes mesmo de ouvir tudo. Ameaçará, antes mesmo de sustentar o contraditório.

O infiel também experimenta uma TPM. Já entra em crise perto da data de receber a fatura do cartão de crédito e da conta do celular. Muda a respiração com o barulho do torpedo. Sofre muito antes de tudo eclodir, cheira a comida com medo de se entregar diante de silêncios demorados. Exagera nos modos e nas portas batendo. Não quer conversar, quer sair logo de perto. De tanto adiantar explicações desde que acorda, sofre de um cansaço mental. É a primeira vez que ela toca no assunto, porém é a centésima que ele pensa.

Homem que traiu age como se ele fosse o corno. Troca os papéis. Como está enganando em segredo, intui que será enganado sem perceber. Delira que ela é igualmente dissimulada. Por receio da vingança, toca o terror a cada questionamento. É a criatura mais possessiva que existe, conhece com domínio suas versões falsas e projeta na companhia as escapadas que vive criando.

Sujeito de consciência tranquila, não se apavora com a crise, respeita os despachos da esquina. Pega emprestada uma vela para iluminar a próxima briga.

O FIM DA INVENCIBILIDADE

Cínthya deitou com uma máscara de vitamina C. Em posição de coma. Armei de cismar que ela não prestava atenção em mim. Era uma provocação que cresceu em insistência e migrou para o insulto. Avisei que se tratava de uma brincadeira; sempre uso essa manha quando ultrapasso o limite. Outra tática para me isentar da grosseria é alegar que lhe falta senso de humor. A convivência de dois anos anulou a força do meu repertório.

Eu erro e não me retrato. Ela me pinta de demônio e não suporto. Logo acho que estraguei sua confiança e que deixou de me admirar. E, curiosamente, fico ofendido com a minha ofensa.

O ímpeto é fazer as malas e desistir. O desencanto aumenta diante da lembrança do final de semana harmonioso — estávamos ternos, não colocávamos sequer os abraços para lavar.

Não consigo reconhecer a falha e o fato de quebrar a sequência de vitórias. Quem fere é mais orgulhoso do que aquele que é ferido.

Como não reprimi a risadinha do canto da boca, o iodo da malícia? Como entrei naquela tranqueira? Por que falava barbaridades e depois repetia as sentenças editadas, transmitindo a impressão que minha mulher entendeu errado? Ou por que pedia desculpa e descontava a responsabilidade nas próximas frases, até que o perdão tivesse perdido o sentido? Avançava duas casas no entendimento e recuava mais cinco com "Não disse isso".

Já cansado, desabafei para Cínthya:

— No momento em que a gente acerta o ponto, desmanchamos o equilíbrio.

Ela me jogou os dados dos olhos:

— Nenhum casal acerta o ponto, a arte é ficar próximo dele.

Aquilo me acalmou, mantinha uma fantasia romântica: ou era uma felicidade imutável ou não era. A derrota naquela noite significava o fim da invencibilidade, não o fim do relacionamento.

Toda vida eterna é provisória. A tranquilidade é cheia de alternâncias. Serão semanas de infindável paciência, de alegria intacta, e algumas horas de ressentimento e azar. Nada vai mudar. Até o mar tem dias de ressaca. Não podemos aumentar a exigência a cada questionamento, formular paranoias e teorias de conspiração, esperar desmascarar nossa companhia. No fundo, ninguém se ama o suficiente para ser amado.

É aceitar o desvio e retornar para perto do ponto. Aproximar-se com a igual gana do início, esforçar-se novamente para conquistar a empatia da solidão. E nunca ter controle sobre o resultado.

Dormi também com uma máscara. Foi a penitência que ela escolheu. Precisava hidratar a pele e os hábitos. E ser um pouco ridículo para não me levar a sério.

DUELO DE ESPUMA

O rapaz fugiu do abraço e beijou meu rosto. Lascou um beijo de despedida, proibido.

Estava saindo de uma reunião. Era o clássico encontro de quem desconhece o nome e recebe o cartão de visita.

Ele me ofendeu com sua pele reluzente, macia. Não aparentava nenhum fio de barba. Fiquei meio perplexo. Lisa como carne rosada de bebê. Uma planura de menina.

Levei um choque, convenhamos. Não assimilava como ele mantinha tal pluma loira. Quase pedi a receita, por curiosidade. Talvez tivesse sido efeito de um peeling. Toda gente que passa por um peeling alega que tomou sol. Viver é um concurso de eufemismos, poucos se aceitam.

O cara não deveria usar barbeador, mas pinça. Ou se depilava com cera quente. Algo inacreditável. É óbvio que pensei que era gay; não fui adivinho, difícil é encontrar alguém heterossexual hoje em dia.

Eu nunca tive descanso com a face. É masculina de tantos maus-tratos. Eu me corto, arrebento espinha, crio rebanho de brotoejas, suporto queimaduras. A lâmina é ardilosa. Sofro o terror de estancar uma bolha do pescoço quando estou atrasado. Ponho papel higiênico e sopro para que seque rápido.

Mas não troco minha armadura de espinhos por nenhuma face lisa. Acho que mulher prefere enxergar um macho com filete de sangue na bochecha do que uma porcelana da dinastia Ming; alcança uma dignidade de batalha, é uma abertura para ela perguntar se me cortei. Eu me orgulho quando minha esposa comenta que arranho seu rosto. Sinto-me poderoso, animal, feérico. Zerei o cabelo de propósito para arranhá-la com toda a cabeça.

— Ui, tá picando!

Ela pensa que vou aparar, pois se engana redondamente. Permaneço escova de tanque, as felpas duras e agressivas. Não ponho fora uma chance de ouvir seu ui. Gemer é o começo da glória.

Heroísmo é chegar ao trabalho com manchas minúsculas e vermelhas na gola branca e engomada. Os colegas vão respeitá-lo pelo expediente inteiro. A luta com o fio do ferro não é justa, não é honesta — abrirá suas artérias na primeira distração. Eu me barbeio para me manter vivo: é a gilete ou eu. Ela não tem piedade.

Despertar desafiando o queixo me põe excitado, fornece adrenalina ao restante das horas. Não acordo com o banho, mas com o fio da navalha pressionando os poros. É uma arte matemática, preparar espuma, separar a bacia de água quente, afiar o instrumento e desenhar de baixo para cima, para depois arrematar os lados. Guerra recompensada pela loção pós-barba. O perfume chega a fazer fumaça. Naquele momento de largar o produto no rosto, entenderá que homem não massageia o couro, dá tapa em si.

Aprendi com meu pai, que aprendeu com o avô, que aprendeu com o bisavô. Procurar conservar o perfeccionismo de um açougueiro e ainda retribuir com a gorjeta do riso.

Saio convencido de que sou um samurai, um dos últimos do bairro Petrópolis, em Porto Alegre. Vou comemorar ao abrir a porta e receber o vento friozinho na cara. A primavera provoca um arrepio inominável. A ardência maravilhosa de quem se machuca todo dia para não ter vergonha de suas dores.

Pretendo convidar o rapaz para um duelo. Que escolha o creme.

GREVE

Nu artístico não pode ser mais exclusividade dos pintores, fotógrafos e escultores.

Devemos encerrar o monopólio.

Poeta também precisa de modelos vivos. Esse papo de escutar vozes é loucura. Musa não existe; existe é modelo vivo.

Está explicado; está aí a causa do choro, da tragédia, da depressão, da hipocondria dos poetas. Sem ninguém para posar para eles. Para conversar. Perguntar se o verso está ficando bom. Debater se vai chover ou não. Acabam fugindo da realidade. Evasivos e herméticos. São incompreensíveis por pura falta de testemunhas. Não há um olhar suplicando:

— Já posso me mexer?

Escrevem qualquer coisa por ausência de interlocução, de observação, da exigência da pele. Ficam com o pincel na mão. Parados diante de uma tela de computador por horas, sem mudar o perfil e espiar o sofá.

Depois viram concretistas.

Temos que parar com a mania de fechar a porta e não receber visitas. Esqueça o papel de eremita; eremita é um mendigo de banho tomado. Para que criar sozinho se nunca estamos mesmo sozinhos? Qualquer um escreve melhor acompanhado. Dois braços a mais para enterrar as provas do crime.

Lirismo é feito de carne, não de metáforas. A metafísica depende de um colchão para dormir.

Chega de natureza-morta, janela empoeirada, expresso frio. Modelo vivo agora! Um pouco de exibicionismo ajudará a perder a timidez. Abra dois botões de suas estrofes. Convide alguém para retratar. É um ponto de partida para fixar a tinta. Seremos mais pacientes, comparar o que enxergamos com o que pensamos, desejar o desejo como um ponto e vírgula.

O primeiro passo é transformar o escritório em ateliê. Diz que mora num ateliê, mesmo que seja um bangalô. É mais charmoso. Ou que tem um estúdio na própria casa, ainda que isso signifique o antigo quarto de empregada.

Não tenho razão? Pois observe a vernissage dos pintores, dos escultores e dos fotógrafos: como são alegres, desencanados. O motivo é simples: têm modelos. Está na cara que têm modelos. Observe a sessão de autógrafos de um poeta: suando, impaciente com a caneta, com medo de não ser aceito. Sua solidão é um chapéu virado. Cumprimentá-lo é coaxar moedas. Está na lata que mostrou seu inédito somente para sua mãe.

O pintor pode desenhar um botijão de gás a partir de uma beldade e não será processado. É liberdade autoral. Já o poeta....

Que poeta não se retraiu diante do pedido de leitora:

— Me faz um poema?

Retribua o apelo no ato, com firmeza de estivador:

— Sim, escrevo. Me serve de modelo?

Quando poeta convida uma mulher para posar, é acusado de devasso. O infeliz será preso por assédio. Mas, quando um pintor ou um escultor repete a proposta, é arte. Cadê a igualdade de condições?

Recomendo que todos os poetas do país entrem em greve a partir de hoje. Nenhuma poesia até que tenham direito ao nu artístico.

É DAS CRIANÇAS O REINO DOS CÉUS

Eu vi o umbigo da Cínthya brilhando na praia, com o rescaldo do protetor. Era lindo. O círculo perfeito, como uma laranja oferecendo seus gomos lânguidos, como um ouvido e seu brinco perolado, como uma concha cintilante de espuma. O cálice de ouro da Heberle que o pai não permitia usar.

Fiquei com vontade de recitar o Cântico dos Cânticos. E beber caipirinha de vodca no umbigo. Embriagar-me; um Salomão do litoral gaúcho.

Aproximei meu braço vagarosamente em sua direção, com o dorso inofensivo da mão, descendo dos seios até a cintura.

Quando entrava em suas cobiçadas bordas, ela soltou um grito. Por pouco, não recebi uma bofetada para alegria da indiscrição praiana. Foi um beliscão. O beliscão é uma agressão infantil, um tapa introspectivo.

— Nunca mais toque aqui! — ela advertiu. — Nunca mais ou acabou nossa relação.

Eu me assustei, cavei um buraco na areia para me esconder como uma tatuíra. Nem discuti, muito menos argumentei.

Sondei que fosse um trauma. Ela agiu com uma tal sanha que pareceu que tinha cometido o mais grave pecado matrimonial. Algo óbvio, unânime, básico, tipo roubar ou matar. Talvez fosse uma nota de rodapé dos Dez Mandamentos.

Como não me ensinaram isso na educação sexual na escola? Bem que a professora poderia ter me avisado no momento em que colocou uma camisinha numa banana. Como não me alertaram no curso de noivos? Como o padre não me disse, antes do sim definitivo: não coloque o dedo no umbigo dela e será feliz!

A mulher não admite marmanjo manuseando seu umbigo. É molestá-la, pior do que passar a mão em sua bunda ou assoviar barbaridades na rua. É uma afronta ao narcisismo, passível de divórcio. Entra na categoria de abuso, de assédio moral.

O umbigo é o ponto de hibernação da feminilidade. É como mexer em sua bolsa, em sua nécessaire, em seu estojo de pintura.

Cabe ao esposo ser um voyeur, chupar os dedos, admirar de longe.

O reino dos céus do umbigo da mulher é restrito aos filhos.

Diante da curiosidade dos pequenos, ela facilita o acesso. Para o marido, o umbigo é pântano com jacarés esfomeados. Para o filho, é uma piscina natural, uma duna para descer de prancha.

Acolhe a pureza e a ingenuidade de sua criança. Deixa o moleque brincar, espiar, instalar uma plataforma de petróleo. Não espantará o rebento com ameaças. Explicará a origem do mundo com serenidade amorosa.

A concavidade demarca um elo exclusivo da maternidade. O filho continua preso ao cordão umbilical. Por todos os tempos. Já o homem, mesmo que seja seu homem, é um tarado com segundas intenções.

UM COQUE GRISALHO

Há homens que se imaginam com mechas loiras entre as mãos. Cabelos morenos, lisos, brilhantes. Cabelos cacheados, perfumados. Cabelos ruivos, intensos. Cabelos coloridos, disfarçados. Cabelos encharcados de vigor. Cabelos para dizer o quanto são jovens, o quanto são viris, o quanto são sedutores.

Eu me pressinto com um coque grisalho entre as mãos. O cheiro de tecido alisado com vapor. Ou da madeira encerada de varanda. Um coque caprichado, com toda a brancura de um inverno na serra. Um coque como uma cesta de laranjas desembarcando na fruteira. Um coque como um ninho, o ninho já é jardim e quintal para o pássaro.

Um coque grisalho como um novo ombro para a janela. Um coque grisalho, e até o vento respeita. Um coque ao alto, como uma lâmpada que não se queima, que não depende de escadas.

Não é nenhuma perversão. Enxergo-me desde agora segurando os cabelos brancos de minha mulher. Envelhecido com ela, sem mentir a natureza de minhas sobrancelhas e esconder a fragilidade de meus braços. Fico excitado em estar com alguém que madurou e não perdeu o viço. Respeitar quem amo e amar quem respeito. Poder errar as lembranças, o nome de quem chega. A coragem de avançar para trás, não terminando de musicar a memória e de acrescentar datas.

Um coque grisalho entre os dedos já afinados de flauta. Os cabelos armados pelo costume de soltá-los somente na cama. Ver minha mulher se pentear de manhã, devagar, namorando o espelho como se o meu rosto fosse sempre perto daquele rosto. Seu apuro de ouvido, definindo se o cabelo está pronto pelo barulho rápido do pente.

As linhas dos lábios desenhadas pelo batom suave. Nenhum tormento, nenhum pavor da mortalidade. A mesa da sala limpa de alegria e sofrimento. Honesta. Nossas vozes dentro das vozes dos filhos dentro das vozes dos netos.

Não desejo a juventude de uma mulher, desejo sua permanência. O que a faz recente não é o quanto ela se preservou, mas o quanto ela se entregou.

FICHA LIMPA

Mafioso tem ética, bandido tem ética. Não há como fugir do código de conduta na intimidade.

Divido o homem em duas linhagens: os que respeitam nossa mulher e os que desprezam os laços.

Os primeiros estão destinados a perdurar a vida inteira; os segundos são salafrários, capazes de vender a mãe e a irmã numa única tacada. Nem o inferno aceita: produto intelectual de segunda.

Amigo é que nem ressaca; só saberemos se a conversa é original no dia seguinte. Amigo que é amigo não vai soltar cantada nenhuma na sua frente, sequer elogiar em excesso sua companhia. Não fará piadas de duplo sentido. Só mencionará o conjunto da obra. Qualquer coisa é o casal pra cá, o casal pra lá. Será educado, contido, elegante. Guardará qualquer comentário indiscreto para as cinzas.

Porque é fácil jogar contra o próprio time. Afinal, ele conhece seus defeitos, falhas e fraquezas como ninguém.

Bem-intencionado, não irá criar indisposição e intriga, muito menos tentará ser mais amigo dela do que de você. Cuidado com quem troca de lado na confidência.

É questão de probidade amorosa. Não empregar o desabafo dos parceiros a seu favor. Jamais receber benefícios dos segredos.

Aprendi o mandamento, aos onze anos, na Escola Imperatriz Leopoldina, quando falei para Rodrigo que estava a fim da Rita e ele roubou as poesias de meu caderno para conquistá-la. Namoraram por plágio.

Nunca me envolvi com mulher de amigo. Pode ser ex, flerte, casinho, amante. Assim que se aproximou de um camarada, a atração morreu. Namorada de amigo meu não é homem, eu é que deixo de ser. Sou castrato, sou transexual, uso saia, mas ela está cortada definitivamente da lista, do futuro, da libido. Armo exercícios imbatíveis de prevenção, fantasio a figura graciosa de buço, com o sovaco peludo, sem o dente da frente. Sempre surte efeito, não corro risco. Não será o trago e a carência que me farão mudar de ideia. Mesmo que a menina se esfregue em mim, seminua ou vestida de tenista. Mesmo que deite de quatro numa mesa de sinuca, como na capa da *Playboy* de minha infância. Rebato os ataques com a astúcia de santo Antão. Não cometo esse pecado, tão hediondo quanto incesto; toda tentação exige o mínimo de moralidade.

Quando se quebra a palavra, não existe modo de recuperar o caráter. Igual a cavalo: depois de uma fratura, não corre mais. Nem adianta alegar que "aconteceu" ou que não teve como controlar (desculpa ainda mais calhorda, ao transferir a culpa e se isentar do ato).

Por isso, até hoje, tenho tão poucos amigos.

RESPOSTA CERTA

Toda mulher é experiente em testes. Atravessou a adolescência preenchendo questionários de revistas femininas, definindo pela pontuação se é sensual, se terá sucesso financeiro, se ele a ama.

Constantemente busca levantar coincidências e armar uma simbologia para encontros e esbarrões. Nada é fortuito, tudo tem uma mensagem escondida. Qualquer abordagem é uma revelação de infância.

O homem deve ficar atento quando se apaixona. Para desvendar qual é o exame decisivo da convivência. Cada mulher elabora o seu enigma, particular e intransferível. Pode ser um convite para visitar a família no interior ou quando apresenta seu bichinho de estimação.

É um questionário à paisana. Muitos marmanjos são descartados e não compreendem o motivo. O pé na bunda foi uma avaliação secreta em que ele deu a solução errada. É praticamente impossível detectar o momento. Ela se finge de distraída:

— O que acha de The Cure?

Você deduz que é uma pergunta à toa entre milhões que serão feitas ao longo do relacionamento. Confessa a verdade, decidido a impor sua personalidade:

— Foi uma tolice adolescente.

Mas não é uma pergunta, é a pergunta. A única que importa. A decisiva. Ela parte do princípio de que nunca vai se envolver — sob hipótese alguma — com um cara que não curte The Cure. Robert Smith continua sendo seu ídolo. Não adianta demovê-la da ideia. Na mulher, qualquer ideia se transforma rapidamente em crença.

O batismo de fogo muda conforme as obsessões da moça. Cuidado com o que diz ao tomar sopa de beterraba num restaurante polonês, cuidado com o que diz na saída de um filme sueco. Esteja preparado, um vacilo e ouvirá o som gelado da guilhotina: zaz! (O número do seu telefone desaparecerá do celular dela.)

Antes de ser minha namorada, Cínthya me convidou a correr e participar de seu habitual trajeto na Usina do Gasômetro. Fez sombra na cabeça o zepelim da gozação, aquilo soava como brincadeira. Não combinava com minhas características no Orkut: sedentário, fumante, escritor e adepto incondicional do LER. Fiquei tentado a rosnar um "boa sorte"; me reprimi e aceitei, com um sim engasgado, um sim arrependido. Não tinha noção de como completaria o percurso. Afinal, eram oito quilômetros e não desfrutava de um mísero calção, muito menos de fôlego.

Enfrentei o desafio disposto a enfartar. Se é para morrer, que seja por ela.

Não senti as pernas por dois dias. Ainda menti que queria mais: que tal ir até Restinga e voltar? Cínthya terminou o passeio impressionada com a performance. E com meu contentamento silencioso — não falava, bufava, concordando com a cabeça, preocupado em como respirar no próprio corpo.

Conversando com seu irmão Gustavo, descobri seu costume em submeter os pretendentes a uma corrida: "É seu teste para o namoro!".

A enxaqueca apareceu quando esclareceu que ela somente iria casar com quem completasse uma maratona ao seu lado.

CACHORRO MAGRO

Minha mãe costumava afirmar que o gato gosta da casa mais do que do dono. O dono pode ir embora, o gato permanece. Nunca tive gato para confirmar o provérbio. Mas sou totalmente cachorro. Não importa tanto a casa, mas a dona. Vou onde a dona estiver. A dona é minha casa. Farejo, sigo atrás, abano os olhos, preparado para as sentinelas mais longas na calçada e para as insônias mais ébrias dos bares.

Já tive duas residências, tantas, eu me separei e nenhuma ficou comigo, não é despojamento, é escolha, não posso ter tudo. Renunciei apesar de adorar o trânsito suave dos aposentos, o escritório repleto de luminárias, os penduricalhos das viagens, a decoração excêntrica, as poltronas de leitura e de cochilo, a biblioteca imponente.

Abandonei todos os cantos, apesar de minha inclinação caseira. Apesar de ser feliz com um paninho e um lustra-móveis; o lustra-móveis é um dos meus cheiros prediletos, retirar o pó e girar os dedos pela mesa e encostos imprimindo um cuidado demorado, próprio de toca-discos. O dedo tremendo a agulha da unha; nas faixas da pele, algumas canções de Elvis Presley.

Vejo que não dependo de um teto, até as estrelas são hospedaria. Preciso de uma esposa que me distraia de mim. Por ela, sou um cachorro magro, sempre com fome. Um pouco teimoso, muito ciumento, mas leal. Não me canso de chegar.

Sei como ninguém fazer uma mulher alegre e sei como ninguém fazer uma mulher triste. Talvez não saiba dar paz a uma mulher.

O temperamento canino me rende confusões. Quando amo, nunca encerro um relacionamento, ameaço o fim para logo resolver a conversa e as diferenças. É como um blefe, um ultimato, derradeiro recurso de oratória. Bem prepotente, tipo ou concorda comigo ou me perde.

O impasse é que Cínthya — prática e objetiva — leva a sério cada palavra, não passa pela sua cabeça que é uma metáfora. Não concorda com a malícia do desespero. Tem razão: eu me encho de espuma e de raiva, complicado discernir o que é improviso do que é roteiro. Eu acabei o namoro várias vezes, e ela infelizmente acreditou. Não era para acreditar. Seu papel era resistir, mostrar minha tolice.

Se arrumava a mala, ela me ajudava. Se pulava do carro, ela acelerava. Um saco, não tinha graça. Sem plateia, desisti da estratégia arriscada. Hoje termino comigo antes de terminar com ela.

E parei para refletir onde arrumei a mania. Notei que na infância nunca partia ou entrava pela porta da frente. Reservava a campainha para as visitas. Meu caminho se desenrolava pelo portão do lado. Ia à escola, discreto, a partir do quintal, impregnado do perfume das laranjeiras nas golas brancas. A minha volta também acontecia pela cozinha, na véspera do almoço, para direto mexer nas panelas e descobrir qual seria a comida.

Na briga, é assim mesmo, não existe a porta da frente, apenas a porta dos fundos, que desemboca no pátio. Meu adeus é uma falsa despedida, um aceno confuso. O pátio ainda é casa apesar de sugerir que fui para longe. Seria a avenida da própria casa. Um corredor por fora do quarto.

Na verdade continuo no terreno. Como um cachorro, espero ser chamado de volta.

CUIDADO COM O QUE ELA SONHA

Brinco com a minha mulher de que, na hora do sexo, ela pede para acender a luz e sou eu que insisto para apagar.

Homem feio tem pudor. Vai que ela descobre com quem dorme.

O humor nos salva das grandes brigas. Só não consigo me livrar das pequenas, da ressaca de algumas manhãs. Tem dias que ela se levanta me xingando, me espancando com o edredom. Não entendo o que fiz. Vou apanhando antes de qualquer palavra. Acho que cometi uma barbaridade, tipo ter alucinado com outra ou trocado seu nome. Será que vacilei em voz alta? Eu nem me defendo, pensando que ela está certa mesmo. Quando não tenho culpa, pego emprestada a mais próxima de mim. Ou do estoque da infância, sempre cheio.

Mulher é vulnerável, suscetível, vive em estado de floração, se vê injustiçada por delicadezas que nem noto. Nunca fui bom no jogo dos sete erros. Basta uma expressão deslocada e ela chora compulsivamente, dizendo que não merecia tanta desconsideração. O grave é que desconheço a maior parte dos motivos do choro, preciso primeiro enxugar as lágrimas, acalmá-la, e isso exige mais de quarenta minutos.

Ela estava uma fera comigo. Após ser sovado como uma broa, pulou da cama com a arrogância que apenas a tristeza dá. Não me encarava, virava o rosto. Segui atrás, ela bateu a porta do banheiro na minha cara e fiquei conversando pelo trinco.

— O que foi, amor?

— Me deixa em paz...

Já cogitava uma grosseria feita de noite. Mas lembro que ficamos abraçados, gostosos, cheirando os olhos. Não havia lógica. Recapitulei o jantar com os amigos, arrecadei minhas principais participações, criei um balanço das contas linguísticas das últimas 24 horas. Nada que provocasse sua mágoa. Às vezes, ela zoa, arma charme e vem com soquinhos nos meus braços comentando que não sabe o motivo de estar me batendo, mas que eu devo saber. Não era o caso. Parecia grave.

— Amor, me conta?

— Não quero, se eu contar você vai se defender...

Demorou o banho, o café, a saída apressada ao trabalho para descobrir a verdade. Fiquei tenso em vão, limpei o elepê de Cauby Peixoto para escutar de madrugada, preparei discursos inúteis de despedida.

— Pode desabafar agora?

— É que sonhei que você estava me traindo. Tudo horrível.

— Mas não posso me responsabilizar por aquilo que sonha.

— Não tem ideia do que aprontou, por quê? Por quê?

— Estamos ótimos, é um sonho, não aconteceu.

— Aconteceu sim, da próxima vez me corneie em seus sonhos, não nos meus.

A vida é injusta. Não tenho como apagar a luz dentro dos pesadelos dela.

CAINDO NA PEQUENA ÁREA

Assim como atacante simula um pênalti, o casal cava brigas.

Grande parte das discussões de relacionamento não traz uma origem clara e evidente; é pressa, desejo de resultados imediatos.

O divórcio tem motivo, a briga não. É aleatória e invade, inclusive, os momentos felizes. O atacante poderia fazer gol e comemorar com a torcida, mas preferiu se jogar na área e contar com a cumplicidade do juiz. A esposa poderia beijá-lo, mas decidiu teimar com a aproximação de uma colega de trabalho e tecer perguntas constrangedoras.

Não existe briga legítima. Todas são forçadas, artificiais e teatrais. É um ranço à toa, uma provocação passageira, uma vontade de incomodar que escapou do controle. Há o equívoco de se pensar em criticar algo e logo mudar de assunto, ferir e esconder a arma, como se a palavra não fosse bumerangue e não viesse de volta, com muito mais força, cortar nossa cabeça. Planejamos a briga; o que não prevemos são as consequências. Entrar numa discussão é fácil; o orgulho não nos deixa sair.

A mulher tem algumas cartadas implacáveis para puxar seu parceiro ao ringue. Mesmo quando ele não quer e programou assistir ao seu futebol tranquilamente.

Eu já sofri com o blefe. Fui um zagueiro que não atingiu a centroavante e ela simulou agressão.

Estava quieto, pensativo, aguardando a rodada do Brasileiro, e minha namorada começa a antecipar a lista de tarefas da semana. Eu respondo educadamente, não entro em detalhes. Nada nos magoou durante o dia. Ela repete um ponto, replica de novo. Não que eu não tenha respondido, é que a resposta não lhe agradou. Tento reagir diferente, com outras palavras. Tudo sob controle, vocábulos neutros, os times entraram em campo.

Na hora do apito, como não encontrou qualquer argumento para discutir, ela vem com a tese de que a minha voz está diferente. Que voz de homem não fica diferente assistindo à sua equipe?

Eu me ferrei, ninguém se salva dessa abordagem. Em vão, busco dissuadi-la da ideia, não reparo que é uma ideia fixa, indicando uma obsessão incontornável.

— Não, minha voz está a mesma.

— Não me engana, sei que aconteceu alguma coisa, o que foi?

— Nada, estou ótimo, te amo.

Apliquei o "te amo" para espantar as desavenças, um "te amo" preventivo. Faltou experiência no ramo; sempre que mencionamos um "te amo" solto do assunto é que virá guerra, é visto como um ato falho ou um sentimento de culpa.

— Eu conheço, sua voz está diferente.

— Não está, não está...

— Está sim! Está sim!

Ela aparecia com o velho papo de que me conhecia melhor do que eu, o que é irritante. Meu timbre permanecia igual até que não aguento mais a insistência e passo a gritar.

— Que merda…

— Viu?

— Viu o quê?

— Está brabo, acertei, sua voz estava diferente. Vai agora me dizer a verdade?

Não me pergunte qual foi o placar do jogo.

INFILTRAÇÃO

O chuveiro tem temperamento. Alguns ligam, outros nos devolvem a fé.

A ducha de casa funcionava perfeitamente, com exceção de um detalhe: uma gota fria no meio da enxurrada quente. Não sei de onde vinha, como vinha.

Era um pingente de lago russo.

No inverno, aquela gota gerava um maremoto de raiva. Quebrava o ritmo aconchegante do calor, desconcentrava o apetite. Eu deixava de saborear o resto da torrente para analisar sua origem intrusa, intrigado com o milagre.

De que maneira a gota furava o aquecimento?

A gota dava um tabefe e sumia. A cada dois minutos. Cronometrava, contava alto.

Mais certeira do que cuspe de calha, de ar-condicionado. Não havia como escapar dela. Usei touca de plástico, óculos de mergulhador, equipamentos submarinos. Não surtia efeito, o minúsculo líquido prosseguia com sua acupuntura autodidata.

Tremia ao sair do banho. Sua queda na carne retirava o luxo do banheiro vedado, trancado, com estufa. Era uma porta aberta no corpo.

Acabava com minha custosa técnica de abrir a torneira no ponto certo, sem a luz despencar. Complicado atingir o limite ideal do registro, firmar o estalido de cofre, acertar a temperatura.

Eu me preparava para a surpresa. Aumentava a sensibilidade para reconhecê-la. Fechava os poros para abri-los assustados.

Vinha como um remédio de criança, sôfrego. Vacina de paralisia. Caía lentamente, separando as vértebras.

Foram três anos lutando contra o pingo e perdendo. Exigia uma atitude dos pais, conversava com os três irmãos e ninguém notava sua aparição. Não trocaram de aparelho. Ele permaneceu, eu é que abandonei a casa.

Minha adolescência durou menos do que o chuveiro elétrico.

Dessa guerra caseira, herdei a sina de não abandonar problemas. Se há uma dificuldade, tenho que resolvê-la no ato. Paro tudo que estou fazendo e tento consertar. A leve irritação vira ofensa pessoal.

Não suporto uma conta em aberto, uma tarefa inacabada, uma inimizade; maltrato-me até resolver as pendências. Mas sempre existe um pedido, uma nova reclamação ou um desentendimento.

Bastaria seguir adiante para me acostumar. Mas não, meu medo de esquecer me impede de lembrar. Fico travado, em greve, batendo na mesma tecla, insolente, insatisfeito, renitente, sem sair do lugar do incômodo.

Elimino a sensação de toda água quente que passou pelos ombros para valorizar uma bolha gélida. Faço com que todos participem de minha mobilização imaginária. Se alguém ficar de fora será mais uma gota a ser combatida.

É uma pequena pontada que transformo em dor que elevo em trauma que glorifico em incompreensão.

Interrompi vários momentos bons da minha vida pela birra com um detalhe.

O que me leva a crer que não procurava a falha, criava a falha, me dedicava para que o mal-estar prosperasse e justificasse o meu empenho na briga.

Depois do escândalo, preparava outro escândalo para compensar o despropósito da raiva. Não desistia de argumentar para sustentar o erro.

A gota acentuava tão somente a minha frieza.

QUANDO ELA NÃO QUER TRANSAR

Mulher que alega enxaqueca para não transar não tem classe.

A dor de cabeça é preguiça, ela demonstra que não tem nenhuma motivação em esconder a ausência de apetite, que você não vale nem o esforço de mentir. Não merece uma desculpa convincente.

Zomba de sua tara. Nas entrelinhas, avisa: cai fora, e vira definitivamente ao lado. A relação está com os dias contados. Não é falta de vontade de sexo, é falta total de ânimo para ficar junto, até para dormir junto.

Elegância é quando ela desvia o assunto com histórias tristes. Mulher quando vai para a cama e conta tragédias é que está decidida a não transar. Ela pôs isso na cabeça desde o café da manhã e não muda de ideia. Porque a mulher acorda sabendo se vai dar ou não. Não duvide da premeditação — ela se conhece mais do que o homem.

Óbvio que identifica os sinais no radar, a mão do parceiro deslizando desde o banheiro, o convite dos beijos; o beijo fica lânguido, molhado, espumoso; qualquer um percebe quando o outro está excitado, não é um mistério. Natural que ela evite discutir o assunto diretamente, tipo "não estou a fim hoje" ou "estou muito cansada". Será muito desgastante, seu companheiro se sentirá um fracassado, aparecerão espinhas residuais da adolescência. Ou se encherá de autoridade para denunciar o tempo de abstinência. Virá com um relatório: são sete dias e vinte horas no seco!, como alguém que pede um reajuste salarial. Sempre quando confessamos que não desejamos nada naquela noite, temos que explicar durante horas o motivo. Há a tese unânime de que seria mais simples transar do que discutir.

A objetividade é insana no relacionamento. Porque existe um medo tremendo de ser enganado, de não detectar o desamor a tempo, como se fizesse diferença descobrir antes ou depois. A insegurança gera evasivas. Ninguém fala o que realmente quer ou não quer, com receio de melindrar. No brasileiro, a síndrome é doentia, a reputação tropical e quente derreteu nossos miolos. Aqui, não trepar é não amar. Diante da negativa, instala-se a desconfiança: não se interessa mais por mim?

A esposa está indisposta sexualmente quando recorda da avó doente. É um truque repassado de mãe para filha. Tem 100% de aproveitamento. Toda fêmea guarda na manga da camisola sexy uma ancestral doente ou no asilo. Nunca mencionou sua existência durante cinco anos de convivência. De supetão, ela surge, imperiosa, desgrenhada, carente e abandonada. Sua mulher põe dois travesseiros nas costas e senta para confidenciar a culpa por não visitá-la.

— Será que ela se lembra de mim? Tão triste e sozinha lá...

Você está com o volume máximo na calça, cheiroso, malicioso como uma cobra na relva, e ela encerra o entusiasmo dos seus toques com reminiscências da parente adoecida. Se não frear seu ímpeto, irá repreendê-lo:

— Pô, é importante, não está valorizando, estou me abrindo...

Fodeu, ou melhor, não fodeu mesmo. Ela não está se abrindo, está se fechando. Use as velas aromáticas para o velório da avó. A sonolência pesará nas pálpebras, começará uma série de bocejos irresistíveis e dormirá primeiro, ainda por cima com a fama de insensível.

PÉ DE MEIA

Remédio não cura depressão, o que nos salva são os sapatos novos.

No caso de tristeza, uma caixinha resolve. No desespero, recomendam-se dois pares para serem usados em sequência. Se possível, no mesmo dia, de tarde e de noite.

Minha mulher estava estressada, ansiava por uma superdose. Saiu da loja com três modelos. A melancolia foi embora. Na manhã seguinte, seu riso era cadarço com brilho nas pontas.

Roupa não melhora um homem, mas pode piorá-lo. O guarda-roupa é meu confidente. Parto da tese de que o armário, depois de guardar tantos gays, é capaz de oferecer os melhores conselhos. Quando cansado, vou arrumar as roupas. Não as bagunçadas e as que ficam atiradas no espaldar da cama e da cadeira. Retiro as pilhas das estantes e dobro tudo de novo. Apenas o trabalho inútil dignifica. Sei pelo cheiro do tecido qual a última vez que coloquei.

O pai também superou um conflito com a ajuda dos cabides. Entrou numa crise de estima pelo sobrepeso. Por mais que emagrecesse, ainda engordava. Não admitia um prato menor e o ponteiro da balança sempre maior. No instante em que comprou suspensório, recuperou o domínio da alegria. Os suspensórios são a armação colorida para quem não usa óculos. Ele esticava o elástico como um estilingue, abatia os pássaros dos ombros. Ainda rangia, eufórico: — Agora tenho um chicote para meu corpo, ele vai me obedecer!

É previsível que largou a dieta, engordou mais vinte quilos para adquirir outros suspensórios. Gostou de engordar. Agora sem culpa e com charme de colecionador.

Eu me divirto que hoje me confundem na rua com um DJ ou um músico. Já fui um mecânico, um executivo fracassado, um metaleiro, um emo. A fixação pelo figurino começou tarde. Em casa, minha mãe empregava termos como carpim e fatiota. Não existia chance de bom gosto.

A estreia como macho talvez tenha sido na primeira comunhão. Inaugurei cinto, sapato preto e terno. Quatro números acima do meu. Meditando com calma diante das fotos, não representava roupa de homem, e sim de velho. Não entendo como não recebi diretamente a extrema-unção.

A irmã Carla buscou me amparar na adolescência. Com a minha cara cravejada de espinhas, desafiou a insanidade da tarefa. Incomodada com as opções, decidiu ceder calça branca, camisa branca e tênis branco. Passei em branco pelas garotas. Como um sujeito que pega emprestado as roupas da irmã apresentará resultado? Nunca.

É razoável supor que tenha me sentido homem ao enfrentar a extravagância, ao pôr um colete preto com lantejoulas, que arrematei num brechó do Bom Fim. Os colegas zombaram da minha masculinidade. Nem a inscrição "God is dead" me poupou das ironias. Morria pela terceira vez.

Confesso que não me vejo homem homem com nenhuma roupa. Muito menos com poncho, que transforma o gaúcho numa gaita de lã.

O que acende a virilidade é absolutamente insignificante. É recolher as meias de Cínthya entre os lençóis. Ao preparar a cama, localizo aquele novelo que escapou dos seus pés, um colchete de seu sono, um parêntese de suas unhas; emociono-me ao saber que ela deve ter procurado durante a noite.

Coloco o novelo sobre o cobertor, com destaque de um travesseiro. No restante das horas, controlo a ansiedade pelo beijo de recompensa.

Eu só dependo de um par de meias para me enxergar inteiro.

PERFUME DO BOTO

Sou apaixonado por mistérios como um cachorro pelas rodas de carro.

Passeando pelo mercado de Belém, encontrei a verdadeira farmácia popular. Frascos e frascos encordoados para a venda. Garrafadas para derrame, hipertensão, inflamação, diabetes. Adoecia com vontade de testá-las na hora. Um sem-fim de chás curativos, poções miraculosas, receitas infalíveis.

A vendedora lembrava uma cigana.

— Vem aqui, meu bem!

Eu fui, convicto de que ouvir não compromete. Mas compromete, sim.

— Está com problema de conseguir mulher?

— Não, está me achando feio?

— Não, meu bem, a beleza do homem está no cheiro.

— Tô cheirando mal?

— Para de frescura, meu bem...

— O que deseja?

— Dar desejo, meu bem.

— Pode explicar...

— Tenho aqui o perfume do boto. Quer? É um afrodisíaco, nenhuma madame vai resistir.

Comprei para calar sua boca. Até porque meu bem é sempre usado por aquela que deseja o mal. Ela ainda se despediu:

— Meu bem, depois volte para me contar suas aventuras.

Eu não me vi poderoso, mas profundamente idiota, com três potinhos no bolso do jeans, três por R$ 10, um monte de preservativo líquido.

Apressei o passo ao hotel. As ruas estreitas retardavam o raciocínio, notei que atraía atenção como numa micareta. O mulherio controlava minha cintura, mostrava a língua com malícia, lambia o ar, contornando camadas de um sorvete imaginário.

Será que fez efeito antes de usar? Era o volume da calça, o boto já me enfeitiçava, já me tornava superdotado. Meus braços estavam mais leves, coreografados, as coxas socando o tecido.

Analisei o vidrinho: o lago laranja, dentro pendia algo como um camarão. Cheirei, veio uma nuvem de formol e batata frita. Será que as moças gostam disso? De fritada de múmia?

Descrevi a aquisição ao amigo Mauro. Ele largou uma gaitada:

— O óleo é pai-d'égua! Feito da genitália do boto.

Mesmo? Como os homens podem se untar com o pau do boto e arrebatar fêmeas? O efeito não é o contrário?

Não irei espalhar pau do boto em meu corpo, nunca. É a própria decadência. Depois ficarei exigente e não terei mais volta: pedirei porra de baleia e pentelhos de tubarão. Não posso ousar. Será triste se colocar uma vez e a namorada adorar e comentar que está comigo pela química.

— Amo seu cheiro, qual o perfume?

O que responder? Que é o Chanel do Norte?

A fragrância exótica prepara o macho para ser um corno manso. A dar sua vida ao boto. A baixar a cabeça e trocar a virilidade da pele pelo cheiro de outro saco.

Não aguentarei se engravidar minha mulher. Pensarei eternamente que a criança é filha do boto.

CASADO NA FESTA DE SOLTEIRO

É fácil descasar.

Agora os casais se separam para depois discutir. Não mais discutem para se separar. Não desenvolvem a quebradeira emocional, o jogo de ameaças, as negativas falsas. Aquelas horas a fio de madrugada para desenterrar uma confidência. Não arranham os discos estacionando a agulha numa única faixa. Não provocam novos juramentos e lamentos deses perados de perdão. Surge uma infidelidade, uma frustração, a parte ofendida nem pede explicações: fecha a conta.

Abandona a casa e busca seus pertences na portaria, na semana seguinte. O síndico é o padre das separações, vive consagrando divórcios. No altar, o sacerdote entrega alianças. Na portaria, o síndico entrega as chaves. O corvo não usa mais preto.

Segunda chance e repescagem são atitudes reacionárias. Moderno é virar a cara e partir para outra. Não importa se é verdade, impressões funcionam como fatos. Mesmo que sejam fatos, a vergonha de um engano supera o passado de acertos.

Sentenças como "pisou na bola" e "deu a maior mancada" bastam para explicar o sumiço. Poderá se arrepender e insistir que não terá resposta. Ninguém mais quer perder tempo com namoros. Reatar é um desperdício, é insistir no erro. Ou se acerta de primeira para sempre ou não existe reedição. Amor hoje só tem primeira impressão.

Eu percebi isso quando fui convidado para uma festa de solteiro. Esperava um trago interminável, uma loucura de som alto, os vizinhos chamando a polícia. Ansiava por uma noite animal, o apartamento abaixo como um zoológico. Seria uma data fadada ao esquecimento, para preservar os segredos. Imaginei que os padrinhos chamariam garotas de programa, que estariam nuas, cobertas apenas por casacos de pele, imaginei que metade dos convidados entraria em coma alcoólico e a segunda metade dormiria no banheiro.

Mas não havia prostitutas, muito menos bagunça. Virou um churrasco de família, com pouquíssimas piadas e excessivo nervosismo. Desconfio de que os presentes rezavam pelo término do encontro, antes que viesse uma surpresa desagradável e um imprevisto que despertasse os dilemas do corpo. Observavam o relógio da cozinha, apreensivos, com receio de que alguém surtasse e abandonasse a sobriedade.

Incrivelmente o sogro participava do jantar. Como aprontar diabruras e taras contra a memória de sua filha? Ajudava a espetar a carne com o avental do seu time de coração.

Badalou meia-noite e o noivo ligou para a noiva. E os amigos dos noivos telefonaram para suas namoradas para ir junto. As mulheres pareciam que estavam de tocaia atrás da porta — chegaram tão rápido.

Foi um aquecimento para o romance, não um inferno a compensar o céu, não a desforra da cumplicidade, não a catarse final que antecipa o casamento.

Todos encontraram seus casacos na saída — antigamente ninguém achava suas meias.

Igual pasmaceira nos chás de panela. Até crianças são permitidas. Não se paga mais stripper para rebolar na mesa. Antes as madrinhas levavam vibradores, novidades eróticas, brincavam com os costumes, cuspiam caroços de azeitonas pelas janelas. É tudo comportado, adequado, adulto. Onde se colocou a diversão da véspera? As homenagens são escolhidas com segurança, não se fala de antigos relacionamentos e de trapalhadas na faculdade para não gerar indiscrições. Loucas e histéricas não são convidadas, logo elas, imprescindíveis, que inflamaram as festas como DJs das gafes.

Experimenta-se um pânico moralista, vá que ele ou ela descubra intimidades e mude de ideia. Os noivos sofrem o período de delação premiada. Não arriscam troça nenhuma, acovardados em suas fantasias.

Porque é muito, muito fácil descasar.

HARÉM

Não compreendo como o homem ainda não descobriu o melhor lugar para caçar.

Não é insano cogitar a academia, onde são comuns as abordagens na partilha dos aparelhos. Não é despropositado responder que é o supermercado, em que são normais os pedidos por informações. Não. E não. Assim como não é a balada, não é a piscina, não é a praia, não é um acampamento de estudantes.

Onde as mulheres sempre aparecem, desprezando os anúncios meteorológicos? Podem soar as trombetas de Jericó que não mudarão a rotina. Adiam as cólicas para o dia seguinte e a enxaqueca para outro horário. Não correm o risco de morrer naquele instante.

Elas desmarcam qualquer coisa. Qualquer coisa. Nenhum trabalho, nenhuma agenda supera em importância aquela meia hora.

Sei que não é fácil imaginar uma mulher aguardando; elas costumam transpirar atrasos, trocam a roupa de repente, lembram de mais um detalhe, passam pincel e batom no espelhinho do carro.

Mas o tempo se espreguiça neste local. Acomodam-se nas poltronas e esperam. Aprumam-se nos sofás e cadeiras, e esperam. É a verdadeira agência de casamento.

Loiras, morenas, ruivas. Casadas, desquitadas e solteiras. Três gerações no mesmo ambiente. Para todos os gostos, para quem sofre de complexo de Peter Pan, de Édipo, de Electra, de Ozzy Osbourne. Para quem não foi a um analista. Para quem não largou o analista.

Os adoradores dos pés não deveriam faltar. Os adoradores das marcas dos biquínis não deveriam se ausentar. Os adoradores das mãos deveriam largar o amadorismo das fotos na internet.

São ninfas definitivas, esbeltas, descontraídas. Circulam pelo tremor das pupilas como se fossem seus quartos. Abrindo portas, fechando janelas. Maldizendo os trincos, permitindo que mexam em suas bolsas.

Raramente rudes. Raramente grosseiras. No máximo, vão se desembaraçar e pedir licença para buscar água e café. Não encontrará o tipo fatal que volta para casa contando quantos foras sorteou na noite.

Reina um pacto de cordialidade, uma trégua secreta, um bem-estar improvável. Nada reduzirá o espírito de gueixa. Confiam na seleção natural do endereço. Respeitam urgências esperançosas. Não desmerecem visitantes.

Onde?

Onde as mulheres ficam sem sandálias, saltos e chinelos, com as pernas para cima, confessando seus relacionamentos, suas fraquezas?

Com os braços largados na montaria e cílios carentes.

Não precisará pagar ingresso, consumação, não mendigará uma mesa, não suportará o constrangimento de se movimentar a todo custo e criar amizades instantâneas para ampliar o território, nem terá que esguichar frases inteligentes e espirituosas a cada gole. Não dependerá nem de uma música ou de uma bebida para se soltar. E o mais atraente: não enfrentará blitz e pedágio de amigas, barreiras opinativas que discriminam avanços. Elas deixam seus anjos e guarda-costas na recepção.

Caminham livres dos pais, dos laços familiares, dos vexames.

Onde é esse ponto de franca sedução, de riso e gentilezas fáceis?

Os pecados surgem frescos, meteóricos. Taras, fantasias e bobagens se entreolham, cúmplices.

Com um pouco de acetona, tinta e lembranças serão removidas. Com uma lasca de lixa, contornos e falhas serão corrigidos. Elas falarão mal de seus namorados, de seus ex, avisarão o que desejam com uma objetividade inédita.

Ali aprenderá em minutos o que levaria uma vida perguntando.

Fico abismado quando entro no salão de beleza para fazer as unhas e somente há mulheres.

OLHO ROXO

Ele sentou de lado para conversar de frente. Depois escondia a face. Além dos óculos escuros, um adereço que utiliza exclusivamente para enterros.

— O que foi?

— Nada.

— Mostra, vai? O que está tapando?

O amigo Mário Corso não experimentava tranquilidade. Tive que arrancar seus dedos da cara para descobrir um inchaço debaixo das pálpebras, quase um segundo nariz respirando em linhas escuras.

— Apanhou?

— Não, foi a Diana. Pulou na piscina e foi me abraçar, suas unhas fincaram de jeito na carne.

Ele é ruivo. O hematoma fica mais acentuado na pele branca. Se meu comparsa pudesse, sairia de casa com uma máscara de gripe suína. Mentiria que se prevenia de uma nova corrente de surtos que vinha do Afeganistão.

Arredio, nervoso, buscava se esquivar do exame assustado dos fregueses do bar. Temia o barulho do gelo do copo e a sombra do vidro. Seu constrangimento era maior pelo fundo doméstico e cômico da cena. Todo mundo pensaria que se meteu numa briga e nem isso aconteceu. Não tinha como se vangloriar da pose de valentão porque simplesmente se encabula ao mentir.

É capaz de remorsos fundos, de acreditar que agiu mal diante do pulo involuntário da esposa. Não queria ter sangrado. A sangueira encabulou, gerou culpa. Os dois não mais relaxaram, envolvidos em desculpas, curativos, pomadas e comiserações. Fecharam a conta no hotel e anteciparam o regresso das férias.

Não havia como explicar, mas ardi em inveja. Eu desejava ostentar aquela marca garbosa. Por que não fui escolhido? Para quem não tem olhos azuis, o olho roxo é uma dádiva. Seria imediatamente prepotente. Ostentaria o machucado, talvez fizesse uma sinalização de esparadrapo, um heliporto para os mosquitos. Cumprimentaria estranhos, levaria os braços à cabeça para atrair a curiosidade. Aquela lesão traria uma dignidade. Uma confiança hostil e excitante.

Ganharia assento no ônibus, passaria à frente nas filas bancárias, sobrariam vítimas para histórias malucas, despertaria interesses humanitários.

É um ímã de mulheres. Elas se interessariam pela sua origem, me achariam perigoso, enigmático.

Nenhuma namorada nunca me bateu. Faltava essa medalha de guerra, essa etiqueta de passionalidade, essa luta vencida ponto a ponto. Mesmo que por um acidente.

Meu rosto ainda é de uma criança.

VINIL

Se você considera insuportável namorado que mexe nos seus seios como bolinha antiestresse, se você acha que é irritante o marido que belisca sua bunda, se você não esconde a raiva quando ele se esfrega com as panelas fumegando, ainda não parou para descobrir que o verdadeiro monstro é outro.

As atitudes acima são infantis, incômodas, de alguém que não leu Freud, muito menos saiu da fase oral. É falta de cultura, não representa maldade. Nada que um curso de noivos ou reforço de autoescola não o ponha no lugar. Não indicam o término do relacionamento. Não podemos afirmar que é a gota d'água, o colírio da raiva, o ponto final depois de tantas reticências apaixonadas.

O que não dá para aturar é homem que aperta a bochecha. Vai dar um beijo e estica com força os dois lados.

Ele ensaia um movimento romântico, você chega a fechar os olhos, supõe que irá segurá-la no ar como num tango e, de repente, vem o ataque ridículo do chocalho dos dedos.

A humilhação é inesquecível. Desmoraliza a delicada camada de creme da manhã. Estupra as covinhas do riso. Desencaixa a raiz do molar com o gesto aparentemente simpático.

De carinhoso, não tem coisa alguma. O que aperta uma bochecha merece castigo. O que aperta duas ao mesmo tempo não tem liminar, resta-lhe o despejo.

É o típico sujeito que assiste reprise de futebol (o que acompanha ao vivo não se enquadra como doente). Não é confiável. Não é flor que se cheire.

Flor que não se cheira é cacto. Você não tem um marido, mas um torturador de berçário. É a maior grosseria que existe na vida conjugal depois de palitar os dentes com garfo.

No momento em que o mastodonte pega sua pele, observe os olhos brilhando de arrogância. Repare que ele fará careta (não há como apertar a bochecha sem cara feia). Acompanhe o quanto se dispõe a testemunhar seu sofrimento. Exerce o sadismo em alto grau, não permite sequer que você vire o pescoço, inibe sua cabeça com determinação.

Pois ele está avisando na lata que sobra pele. Mostra exatamente o excesso, aponta com lápis o mapa do botox. Parece que encaminha amostra para análise do laboratório.

O que ele está dizendo é que você é fofa — podemos apertar a bochecha somente de pessoas fofas. O que ele está dizendo é que você é gorda — podemos apertar a bochecha somente de pessoas gordas. Extrapola qualquer ofensa, qualquer apelido, qualquer número errado de calça e de lingerie. Ele está falando — com todas as letras — que seu rosto é redondo. Como Bolacha Maria. Como um vinil. Como uma almofada.

Para garantir a emancipação feminina, necessitamos criar uma delegacia para atender vítimas de aperto de bochechas.

MENOS

Engarrafado nas ruas de São Paulo, aceito o desespero. Posso chegar fora da hora e perder o compromisso. Não telefono para quem me espera; a ligação somente multiplica a ansiedade e me estimula a dividir a culpa do atraso com os problemas viários.

Tenho uma distração refinada. Gosto de observar os carros amassados. Ligo a música instrumental de meu pensamento. Assisto a uma orquestra de rangidos, discernindo o motor dos barulhos intrusos.

É impressionante como há carros amassados em São Paulo. Um cemitério vivo de automóveis. Fantasmas da Volks, da Fiat, da Renault conversando sobre os velhos tempos da concessionária em cada sinaleira.

Em Porto Alegre, são raros. Batemos o veículo e logo estamos no dia seguinte na oficina, exigindo uma solução rápida do caso. Com ou sem dinheiro. Com ou sem seguro. Questão de honra — é como sair com pasta de dente no rosto, feijão nos dentes ou um chupão no pescoço. O carro está incluído nos itens indispensáveis da boa apresentação no trabalho.

Lá parece que não há tempo para arrumar o carro. Ou não vale a pena. Antevejo a origem do dano. O motorista foi manobrar e beijou a boca de lobo, ou alguém tirou lasca numa ultrapassagem arriscada. Estudo as imperfeições com o rigor de um restaurador de obras de arte. De tão prejudicados, encontro veículos na forma de sanfona, flauta, pistão, mas que continuam trafegando sem temor. Funcionam, é o que importa.

Na capital paulista, se o amasso não emperra uma porta ou não trava o funcionamento do conjunto, não é motivo de crise. Um risco na lataria não tira o sono de ninguém. Há uma conformação tranquila. Não existe a tragédia das pequenas causas; leva-se adiante como se fossem naturais o choque, o impacto, o erro nesta vida atribulada.

Aquilo que me incomoda tremendamente não sustenta a raiva. É ficção para me dar importância. Talvez consertasse para manter a posição social.

Em casa, deixo agora um quadro trincado no escritório, uma mesinha com marca de cigarro, uma almofada no sofá sem botão, uma escultura decepada, uma parede com os pés dos filhos.

Não vou esconder, colocar fora e arrumar a cena para a visita. São marcas de que estou mentindo menos.

VARREDORES

Desço a rua Lageado, em Porto Alegre, as árvores ainda montam sua feira de frutas, a luz vem filtrada pelos galhos, o cheiro é de grama voada, a igreja São Sebastião é meu ponto visual para chegar à Protásio Alves, quase tudo igual à minha infância, menos as pessoas guardadas.

Há um recolhimento de madrugada em pleno sol. Não há mais ninguém varrendo a rua de manhã. A casa somente ficava limpa se a rua era varrida. A rua representava parte da residência. Uma extensão do pátio. Um corredor ansioso ao mundo. Antes das grades e das cercas eletrônicas, do pavor do assalto, a frente funcionava como sala de visitas. Recebia-se namorada nos cantos, o vendedor de enciclopédias e as representantes da Avon no jardim, os mendigos familiares e as campanhas de agasalho na escada. Os únicos riscos que apareciam no chão vinham do jogo da amarelinha e dos carrinhos de rolimã.

Não adiantava nada arrumar os aposentos, ajeitar a cama, lavar a louça, espanar os móveis, se não limpasse a calçada. Como usar roupa bonita com sapato sujo.

A maior parte dos vizinhos saía para se cumprimentar com sua vassoura de palha. Certo o encontro às oito horas para reunir as folhas. Certo o falatório entre as braçadas firmes e ágeis. Os motoristas que passavam não interrompiam as fofocas. Eu achava lírico. Assim como os guris jogavam futebol de uma garagem a outra, os moradores conversavam de um portão a outro. Existia uma ordem imutável: o pássaro no fio, o gato na janela, o cachorro espiando no pátio e o varredor de cabeça baixa cuidando de seus domínios, disciplinado, nunca avan çando no terreno alheio, amontoando os ciscos e gravetos num pequeno monte a São João.

Parece lenda, mas usávamos a rua como um cinto que apertava o muro, um cinto para a casa não cair no desleixo de um terreno baldio. As aparências se mantinham já na entrada. Quando as crianças iam para a escola, os pais comentavam quais as vias mais transparentes de vento. Abria-se um pedágio informal da palavra, um controle asseado, uma vigilância dos serviços alheios. Calçada suja sinalizava doença ou divórcio. Minha mãe já entrava em polvorosa: "Coitada de Fulana, faz quatro dias que não recolhe as folhas. O que será que aconteceu?"

Desço a rua Lageado. Disputando corrida comigo, um vazamento desde o início da lomba, uma torrente de água branca e espumosa serpeando as pedras. Muito mais rápida do que meus passos. Não anseio soltar um barquinho de papel para ancorar no esgoto. Não é engraçado, é infinitamente triste. A água, como a rua, não tem mais olhos — não há quem se importe.

JÁ BROXOU?

O homem pode ser tão gentil que se desfaz na bebida para não culpar a mulher pela broxada. A mulher é tão educada que faz de conta que acredita.

Na adolescência, tinha a parceria de Ferrugem nas noitadas. Todo mundo teve um colega chamado Ferrugem. Ou um fedelho na escola chamado Alemão. É uma obrigação constitucional.

Ferrugem contrariava nossos amigos dizendo que não bebia para tornar qualquer mulher atraente, e sim para esquecer seu rosto e atrair as mulheres.

Admirava essa abnegação. Pena que Ferrugem terminava a noite abraçando a privada. Talvez tenha vivido para contar sua história e me inventar nela.

É certo que, desde essa época, eu me preocupo em não usar pijama. Foi um juramento: a impotência viria com o uniforme noturno. Com aquele lençol listrado. Com aquela fronha de corpo.

Deu certo, nunca broxei, o que no fundo me assusta pensando nos debates familiares na boca da churrasqueira. Os tios avisavam: quanto mais cedo broxar, melhor. O homem somente é homem depois que murcha uma vez.

Não decodificava a mensagem — espécie de criptograma Desafio Cobrão. Como a catapora e a caxumba, será que acontece uma vez e não volta? Ou o marmanjo se acostuma com o fato?

Há teorias que não preciso viver para comprovar. Assim como não emprego Hipoglós para assadura em minha bunda. Vá que o dedo deslize.

Evitei a contaminação cultural. E o contágio simbolizava botar pijama. Imaginava que o impotente se fardava de pijama azul bebê.

Na minha concepção, macho dependia da velocidade do zíper. Abusar de botões e boca de sino é se aposentar. O próximo passo é aceitar pantufas e transar de meias. O último ato é cantar Julio Iglesias de roupão branco.

Cuido para não ser devorado pelos caprichos.

É o mesmo que sonhar com uma orgia numa banheira de hidromassagem. É tentador, pelas barras laterais para armar acrobacias. Mas não caia na miragem de motel. Relaxamos demais para endurecer. A água quente é LSD natural. A única coisa que levantará da superfície será a bolha de espuma.

Passei a dormir com roupas velhas. Abrigos puídos, cansados do futebol. Preservava as camisas novas e puxava aquelas recusadas do fundo da pilha no armário. Como preferida, escolhia a que recebera de uma campanha de vereador.

Temos somente camisetas de vereadores que nunca foram eleitos e em quem não votamos. E de três eleições atrás. E com o rosto impresso numa litografia tosca. E com um número derrotado que não serve sequer para ganhar na loteria.

Realmente não broxava. Com a careta do eterno candidato no peito, quem broxava era minha namorada.

AMEAÇADOS DE EXTINÇÃO

Em passeio ao Zoológico com os filhos, quase choro diante do aviso de "extinção" nas placas explicativas sobre os bichinhos. Aquele é um dos únicos animais do mundo e está enjaulado — que sina.

Eu também enrubesço com o extermínio de várias espécies urbanas. O filador de cigarro, por exemplo. Já é complicado encontrar alguém com fogo, imagina pedir um cigarro emprestado. O filador é uma subcategoria do fumante. Como o primeiro é desagradável, o segundo é detestável. Sua existência está fadada ao fracasso.

Outra raça ameaçada é o caroneiro. Peguei excessivas caronas em final de festa na adolescência; era um profissional. No começo, esperava o convite que nunca vinha. Caminhava, lento e sozinho, pela rua escura, aguardando que uma alma caridosa percebesse que não tinha carro. Não funcionava a saída chapliniana. Até um flanelinha seria mais chamado do que eu.

Tomei gosto pelo desespero e aprendi macetes do ofício. Perdi a vergonha. Avisava de cara a todos no início do encontro que o trânsito estava terrível e que errei a parada do ônibus. Pronto: sabiam que estava a pé. Na hora de perguntar o nome, aproveitava e perguntava onde a pessoa morava. Direto. Tive êxito na empreitada. Cogitei que poderia atravessar os continentes com o polegar deitado. Tanto que esqueci os nomes dos amigos, mas nunca seus endereços.

A tática surtiu efeito, mas não consegui manter o sangue-frio. Carregava um remorso misterioso, um mal-estar do abuso. Pensamentos terríveis e incessantes feriam o orgulho e me tiravam o sono. Fazer com que um colega alterasse o trajeto surgia como uma dívida impagável. Agradecia pedindo desculpa. Desejava me livrar do favor. Mal saíamos e dizia que ali estava bom. Sussurrava ao generoso motorista para me largar em qualquer esquina. Para o caroneiro, estar perto de casa já é a própria casa.

Assim que tirei a carteira, troquei de figura, encarnei a função avarenta da história. Procurava fugir dos chatos sem veículo nas saídas dos bares e das baladas. Menosprezava o grau de amizade, achava um modo de sumir. Nem me despedia para não gerar propostas. É óbvio que fracassava e ficava irritado. Aparecia um pangaré bem quando voltava com uma garota e usaria o trajeto para convencê-la a ficar comigo. Frustrava meus planos. Não dava para seduzir e ser taxista ao mesmo tempo.

Ou, quando casadinho, gostaria de ir a um motel e traçar uma rota romântica inesperada. O amigo fingia não notar nada de estranho no ar e congelava a preliminar com sua direita e esquerda, direita e esquerda.

Praguejei os pedestres abusados por uma década, criei listas de abaixo-assinado contra suas insistências, invoquei meus direitos.

Minha vingança foi longe demais. Observo com desalento o término do caroneiro. Dói uma saudade desse componente trágico e avulso da madrugada. Persiste em meu peito uma nostalgia infinita do banco de trás. Os carros estão cada vez menores. Com Smart, só há dois lugares. É um reinado, com tronos exclusivos ao rei e rainha. Impossíveis a negociação, o fiado, a vassalagem. É uma avareza explícita.

Logo inventarão um veículo com um único assento, daí será mais fácil e honesto ir de bicicleta.

TESTE CÂMARA CASCUDO PARA CASAIS

Não tive sequer o direito de torcer o nariz, ele já nasceu torto.

Sou complicado para comer. Quando convidado a jantar, minha missão é descobrir antes o que será servido. Depois é que confirmo presença. Há mais opções no cardápio do que não gosto do que gosto. Vivo cheio de restrições, e não é por problema de saúde, por uma justificativa séria, nada de intolerância à lactose e diabetes, não irei morrer por alergia; é chatice mesmo. Não aguento strogonoff; pizza, então, com strogonoff é um pesadelo, mais infernal se coberta de batata palha. É uma espécie de anorexia literária.

Meu paladar é incurável, enjoa com rapidez; recuso lasanha de frango, empada de frango, pastel de frango, desde que encontrei um osso no meio do recheio. Nas festas e encontros sociais, o garçom passará reto com a bandeja.

Não admito comida fria. Partilho da turma do "pode vir quente que estou fervendo". Não cisco tábua e aperitivos, esnobo pãezinhos com caviar. Meu olhar é um micro-ondas girando.

Para ser meu amigo, o sujeito não deve mastigar vagem — é um princípio. Amigo que engole vagem vai me trair, mostra-se influenciável e disposto a qualquer negócio.

A esposa sofre comigo. Espia o bufê para conferir se uma panela irá me agradar. Volta, aliviada, com o sinal de ok, e me chama em direção à mesa. "Está livre, venha!". É uma espiã dos pratos prediletos. Chega a traduzir as caretas e os engasgos.

Mas Cínthya me assusta. No fundo, ela me apavora. É o oposto. Depois de dois anos juntos, nunca vi recusar uma especialidade, desdenhar uma opção, insinuar nojo. Nunca confessa que odeia algo. E já viajamos pelo Norte, Nordeste, Sudeste, Sul do país. Enfrentamos tacacá, arrumadinho, buchada, macaxeira, sarapatel. Não testemunhei uma negativa, não exprimiu um "argh" ao longo do convívio.

Eu me enxerguei diminuído, sem nenhuma exigência maior. Suava frio com os pressentimentos; seria também vítima de sua complacência? Não admitia a hipótese de que ela comia qualquer coisa. Era uma verdade degradante, insuportável. Necessitava localizar um respaldo, uma esperança, o mínimo de seleção para me sentir eleito.

A sensação é que ela tinha servido no exército, que fora treinada na selva. Se acampássemos, faria uma fritada de insetos, um ensopado de larvas de moscas, um macaco ao molho pardo, e mastigaria fixando o alto das árvores para antecipar a caça do dia seguinte.

No desespero da madrugada, criei um diálogo sem pé nem cabeça. Nossa DR atingia a complicada e delicada fase "Luís da Câmara Cascudo":

— Amor, você comeria bago de bode?

— Já comi.

— Mas não aceitaria moela, né?

— Não sou contra.

— Língua, bochecha, rabo e tutano, não desce?

— Dá sim, deliciosos, são a base da alta culinária francesa.

— Mas tem oposição à galinha cabidela preparada no sangue?

— Que isso? É típica de Portugal. E aprovo pescoço, fígado, coração, asas e patas da ave.

— Rã não, jacaré não?

— Adoro.

— Amorzinho, me diz que não tolera dobradinha, me diz, por favor?

— Essa sim, odeio!

Deitei feliz. Sou, pelo menos, melhor do que o mocotó.

A CLARIDADE É UM CAIXÃO

A festa está acabando quando o pessoal não dança mais, somente pula. Não há mais como sincronizar o ritmo, habilitar coreografias; os braços dão socos imprecisos no ar. A cama elástica é a primeira fase do raiar do dia.

Após o pulo, bate a culpa pelos passos desengonçados, a vergonha diante do clarão das nuvens. Vem a segunda fase: o abraço coletivo, a formação de bolhas humanas.

Para disfarçar o desequilíbrio, os amigos passam a saltar enlaçados em rodinhas, como nas formaturas. Inicia com um trenzinho, logo descarrila, transforma-se em autochoque, parte do grupo despenca e não volta.

Não é mais tempo de exibições, mas de sobrevivência. O desfecho surge com vogais gritadas. Na madrugada, a house music termina em Ilarilarilariê ô, ô, ô — é o que parece. Não sei se é um problema de geração, talvez hipnose coletiva, talvez neurônios queimados.

O que me desagrada numa rave é que ela põe fim à ilusão. Não poderia ser permitido ver de manhã com quem você ficou de noite. Provoca embaraços. A mulher pensa ter seduzido

São Jorge, e quem resta ao seu lado é o dragão. Como se manter abraçadinho? Como preservar as palavras de amor e devassidão? A jura apenas funciona no escuro quando a pálpebra é a boca.

De repente, a luz descortina os traços e desvendamos a companhia. Não se terá advogado perto, muito menos preparação psicológica. Alguns não disfarçam o espanto e soltam um "oh" de pântano.

Invadir a hora do café cria o impasse, além de expor o tamanho do estrago no corpo, simbolizado pela montanha de latinhas de energéticos, garrafas de vodca vazias e guimbas de cigarro pelo chão. Não veio o sono para se perdoar — a civilização começa com a reposição das oito horas de descanso.

Deveria ser proibido ultrapassar as seis horas da matina. No sexto badalo, é o momento de cortar o som, antes que a claridade revele a identidade secreta.

O sol não cega, tira a cegueira. Toda festa é um baile de fantasia porque você está bêbado e a sombra melhora o rosto. É necessário respeitar o transe. As filas no banheiro de manhã são metade de gente tentando fugir dos constrangimentos com seus parceiros.

Um turno ininterrupto de farra aniquila o mistério do dia seguinte. O suspense afetivo. Aquela sensação boa de desconhecido, de descobrir com quem se envolveu, armar a investigação no Google e no Orkut, definir se telefonará ou não.

As raves eliminam a chance de se despedir romanticamente, ou de se arrepender devagar e manter a educação.

Não vejo tristeza em acordar indeciso com os acontecimentos. Trauma é não dormir e enxergar o que ocorreu no ato, sem nenhum tempo para formar as lembranças.

O AMOR É FALSO QUANDO VERDADEIRO

Minha preocupação é primeiro fazer Vicente comer, já que é o menor. Depois é que posso saborear a comida. Tenho que cumprir a paternidade para me atender. Sempre chego atrasado aos talheres, a sorte é quando a comida não esfria.

Nunca reparei direito em mim — ninguém procura o espelho em movimento. Cínthya é que me alertou que, em todo momento, descrevo a mastigação do filho. Descrevo não, narro; sou um comentarista esportivo de sua refeição. A cada cinco minutos, espio seu prato e teço um julgamento de seu desempenho.

— Olha o ovo.

— Não esquece a carne.

— Mais um pouco de purê.

— Come mais!

Minha esposa pretendia dizer que eu era chato, encontrou uma maneira para que eu suportasse a crítica. Ela é meu espelho em movimento. Falou de lado, contida, como se limpasse o canto dos lábios com o guardanapo:

— Deixe que as coisas sejam naturais.

Eu vi que ela acertou, eu incomodava, repreendia, comentava, educava sem parar. Quase doentio. Serei franco: absolutamente doentio!

Ao experimentar um momento alegre, estou confessando que é alegre na largada. Defino antes de concluir. Se o filho é gentil, escrevo carta de recomendação. Se surge nervoso, atravesso a madrugada criando teses. Não há descanso. O certo e o errado estão no sangue.

Sou um pai insistente e cansativo. Necessário, porém desagradável. Acho que nunca mais serei espontâneo.

Descobri junto dessa observação que o amor dos pais não é mesmo natural. É teatral. Histriônico. Parece falso quando autêntico. Por isso, irrita na infância, enjoa na adolescência, ocupa metade das análises nos consultórios durante a fase adulta.

Pai não tem rosto, mãe não tem rosto; são caricaturas. Traços rápidos para apressar a identificação.

Não conseguimos nos controlar. É reiterar um cuidado até ultrapassar a redundância, é não abolir nenhuma prevenção. Nasce o filho e mergulhamos num estado de pânico completo, numa carência interminável, numa provação incurável. Viramos bulas, cartilhas, manuais, guias, catálogos, explicando de novo o que foi entendido.

Só é natural quem não ama. Somos despojados quando não temos interesse. Atuamos por comandos: sim, não, e deu. Nenhum desespero, nenhuma miséria no abraço, nenhuma insistência.

O que me põe a afirmar que um casal enamorado é formado de péssimos atores. Vai trocar juras ridículas, alternar diminutivos e apelidos, escandalizar restaurantes com exclamações e adjetivos.

Quando a gente se emociona é artificial, uma afronta ao bom gosto.

Enxergar uma família feliz consiste num espetáculo bisonho. Os pais apertam, beijam, afofam, cutucam, gargalham, reclamam e soluçam mais alto do que é aconselhável.

A passionalidade é uma imitação. O afeto é uma dublagem. Queremos tanto provar o que sentimos que passamos da conta.

FONTANA DI TREVI

É achar uma fonte e pretendo viciá-la em desejos. Intoxicá-la de promessas. Chantageá-la com meus pedidos absurdos. Eu me transformei num traficante de milagres, num aliciador de degraus e lajes.

Não tenho pudor. Às vezes, cometo gafes e despejo a niqueleira em santuários de Nossa Senhora ou em piscinas de plástico. Qualquer água parada é motivo para depositar os centavos. Persigo os tanques como um Aedes aegypti da superstição.

Assim como crianças gostam de lançar farelos de pão aos patos, jogo moedas aos meus sonhos.

Todo lugar é Roma, todo aquário de pedra é Fontana di Trevi.

É uma fixação messiânica. Os guardadores de carro que me perdoem, mas não nutro simpatia pela superfície, deixo as economias para as profundezas e os ralos; os santos têm que mergulhar, abrir os mariscos de metais, lustrar efígies.

Minhas orações pedem hidromassagem. Não me atraem velas e candelabros, cera e fumaça, mas espuma, cheiro de cloro, limo.

Não controlo a compulsão. É meu bingo aquático. Meu porquinho flutuante.

Não sou nem um pouco exigente. Já ataquei fontes de hotel, de praça pública, de loja de móveis, cascatas de motel. Pode ser um poço artesiano, não faço cerimônia para rezar.

A água é o único mendigo em que confio. Não penso muito. Não reparo se é uma escultura de artista reconhecido ou se é um dormitório de tartarugas quase extintas, escolho a maior moeda, viro, fecho os olhos e arremesso. Ao escutar um baque seco, percebo que errei a pontaria. Não recolho a mesma moeda; o pedido sairá ao contrário, azar na certa, preciso usar outra e outra até acertar o alvo. E me acalmo com o splash na espuma. Dou três meses para a realização da prece — costuma ser mais rápido que o Procon.

Decidi partilhar o segredo com a minha namorada. Jurei que Cínthya ficaria sensibilizada. Estávamos numa pousada em Gramado, era domingo, friozinho, a luz com a boina da neblina, uma atmosfera absolutamente romântica; enxerguei uma fonte entre as pedras, ri daquele anjo condenado a uma eterna cusparada, mas me concentrei na confissão.

Aproximei-me de seus ouvidos:

— Vamos jogar uma moeda na fonte.

— O quê?

— Fazer um pedido de amor?

— Isso não é uma fonte de desejos.

— É que ninguém ainda descobriu o poder religioso desse ponto.

— Para de fiasco.

— Quando a gente iniciar a prática, outros verão a moeda no fundo e seguirão jogando, e logo teremos uma romaria de fiéis. O destino da fé é virar ponto turístico.

— Mas há peixes ali?

— Não vamos machucar, eles fogem dos objetos, são espertos.

— Não, não é justo.

— Tenta, por favor, por mim...

Diante da implicância, Cínthya se posiciona e joga de costas uma moeda de R$ 1. Apostou bem alto em nossa longevidade amorosa. Numa casa espaçosa, com quintal e varandas. Numa lua de mel nas Ilhas Gregas.

Corro para ver onde caiu. Não digo para ela. Um peixinho dourado engoliu o nosso casamento.

FLA-FLU DAS BRASAS

Marcar futebol é uma negociação tremenda.

Se o jogo é domingo, o marmanjo fica o sábado confirmando os nomes. É uma expectativa de menino. Sofre pavor de trabalhar no final de semana, mas não larga o celular para agendar a turma ao campinho. Não achará tempo para mais nada. O finzinho da tarde dominical será dedicado a se recuperar do cansaço e das lesões ou para lembrar os melhores momentos da partida.

Não existe gostar de futebol e desligar o assunto. É fácil entender a fobia das mulheres com o "joguinho". Não se trata de um esporte com hora marcada, é ser envolvido pelos bastidores de uma campanha eleitoral. (Ele vai? Não vai? Por quê?) Não é somente um que planeja e efetua a série de telefonemas, todos se falam entre si para reiterar o convite. A crise aumenta se não é salão e sim sete, mais ainda no momento do futebol de campo.

A histeria masculina repousa nas chuteiras. Caso o homem fosse jogar e voltasse assim que terminasse, pronto, estava resolvido; o pomo da discórdia é que inventa de se concentrar como profissional. Ele é amador no trato com a bola e rigoroso na preparação e nos rituais da véspera.

Tão terrível como planejar uma partida entre amigos é desmarcar um churrasco. O equivalente a suspender velório. Mexe com a hombridade do convidado, com sua desvalia; é arrancar aquilo que foi dado de graça. Gera uma discórdia, uma desconfiança pérfida que abala companheirismos antigos e históricos de infância.

O convidado se colocará como um renegado. Tomado de uma feição bovina, pastará insultos nas próximas semanas. A amizade corre sério risco de virar curral. O anfitrião dependerá de cintura ou de um motivo nobre para contornar a atitude drástica.

Meu amigo Beto planejou uma ovelha em sua chácara. De repente, não sei qual chave de luz desligou na cabeça do rapaz, gente de cavanhaque é imprevisível, mandou um torpedo cancelando:

"Só agora consegui sentar. Estou com pregas. Faremos outro dia."

Li todo Hegel e Ludwig Wittgenstein para esclarecer o termo técnico. Não digeri o significado de "pregas"; devia ser um jargão, pois viera de um filósofo.

Não houve dicionário que aplacasse o mistério. Raciocinei por minha conta. Vivia o impasse clássico entre o enigma e o óbvio. Cansado, decidi pelo óbvio. Liguei para os casais convidados, alegando que ele estava realmente mal, achava que era hemorroida. Espalhei a origem com dó e um pouco de piedade, acrescentando que seria até aconselhável ligar para ver se conseguia deitar.

Visualizava Beto capenga, manco das nádegas, sem condição nenhuma de permanecer vigiando a churrasqueira, com dores infindáveis nos quadris. Um homem apenas cancela um churrasco se perdeu a dignidade. Um recuo inédito no duelo de espetos. Inadmissível perante a expectativa da turma: a carne havia sido comprada e recusamos ofertas de comer na casa da sogra.

Churrasco é sagrado, é o Fla-Flu das brasas, o jogo intuitivo do macho contra o fogo, um combate às sombras da caverna.

Anular um churrasco é desertar da Revolução Farroupilha, ter a licença de assador cassada. Pode arrumar suas coisas e morar no exterior. Seu nome aparecerá na lista de procurados em todos os Centros de Tradição Gaúcha.

Na noite de sábado, Beto me telefona gritando:

— Que história essa de hemorroidas?

— Como assim, Beto? Você está com hemorroidas, não?

— Nãooooooo!

(Afastei o fone do ouvido.)

— Eu entendi errado; o que são, então, pregas?

— Preguiça! Pregas é uma abreviação de preguiça.

— Abreviar preguiça é muito preguiçoso. Quem manda não escrever a palavra inteira.

— Não vem com balela, trate de esclarecer a todo mundo que me ligou oferecendo conselhos para curar minha bunda.

— Tá louco, melhor ficar com hemorroidas. Aceita, foi uma boa ação, não contarei a verdade para ninguém.

MUSEU DE PANO

Complicado testemunhar um homem trocando de roupa, indeciso com suas opções, dando meia-volta no quarto, suplicando "Só um minutinho, amor". Ele escolhe de cara um conjunto e não se arrepende. Voltará somente sob pressão popular ou por problemas técnicos, se realmente alguma peça não serve, a camisa está manchada, caiu um botão ou a braguilha arrebentou.

Não há nenhum dano neste comportamento. Revela sua vontade imperiosa de não ser cobrado pela aparência. Põe o desleixo na conta da pressa.

O que tem sérias consequências no comportamento masculino é o descaso com as cuecas. Já é piada que homem somente compra quando tem uma amante.

Mas a calamidade temperamental não está em comprar ou não, mas em nunca jogar fora. Olhe a gaveta do seu namorado ou marido; é natural encontrar cueca de quando ele tinha oito anos. Um pouco mais e acharia fraldas. Seu parceiro confia na desintegração do tecido, no Triângulo das Bermudas, na sucção dos objetos pelos gnomos

Tanto que é um elogio chamar de gaveta a própria gaveta; refere-se a um museu de pano. Uma caixinha de cueiros, com espécimes descoloridas, puídas, esgarçadas; autênticos sudários da sexualidade. Nem precisa perguntar sobre seu passado, ele está intacto no armário. O marmanjo joga ali e esquece. Não se despede de nenhuma intimidade, sempre abandona.

Não reconhece a cueca como vestimenta; é uma fatalidade. Seu desejo é voltar a ser Adão com folhas de parreira. Não toma essa atitude primitiva porque a planta revelaria o tamanho do seu documento.

Ele sequer dobra o tecido, como a mulher empreende sutilmente com a calcinha. Não busca o capricho da coleção. Não estende ao artigo o refinamento do mulherio com a peça de cima. Uma cueca é amassada, enfiada de qualquer jeito. Já o sutiã dorme de conchinha com as duas alças encaixadas.

Homem nem supõe o preço, não guarda nota, não reclama do valor. É o raro produto que não pechincha. Compra em saquinhos de cinco ou seis, para se livrar da tarefa. Arrebata o varal inteiro numa promoção. Não analisa a costura, não se submeterá a experimentar em loja. Nenhum macho testa cueca em provador, é quase um rebaixamento moral. Compra em segundos para pensar no assunto seis meses depois; evidente que nunca por iniciativa própria, mas para se defender das críticas. Mulher já renova a lingerie e, simultaneamente, lança as antigas no lixo.

Tamanha sua indiferença, o homem somente descobre a cueca que vestiu no final do dia ou no momento de transar. No baú de inutilidades, se as menos gastas estão lavando, o varão toma a primeira da fileira de cima. Não confere os modelitos, apanha o tecido pela cor. Ele nunca estranhará o sumiço de uma, pois sequer registrou sua chegada. Algo inadmissível para a ala feminina, que prefere sair sem nada a contrair juros da deselegância.

O hábito pode resumir um desprezo, uma avareza emocional ou uma dependência materna. Que as patroas nos perdoem, a cueca é a nossa humildade.

MENSAGEIRO DO APOCALIPSE

Abro a janela para sentir onde estou; somente a lufada no rosto resolve. O vento é o meteorologista em que confio.

Hotel provoca miragem: não acertamos se está frio ou quente lá fora.

O controle do ar repousa ao lado dos canais de televisão. No gabinete. É o efeito estufa em minha vida — viajando, permaneço sempre na mesma temperatura. Gostaria de arder de calor na madrugada ou me encolher de frio, somente para me enxergar em casa. Vida cômoda demais incomoda. Em alguns hotéis, inclusive, a janela está fechada, como o do bairro Anhembi, em São Paulo. O quarto lacrado não me deixava trabalhar em paz. Liguei para a governança:

— Pode abrir as janelas? Estou aflito.

— Sim, estou mandando um mensageiro.

Demorou uma hora, e nenhum sinal em minha porta. Insisti, com receio de uma conspiração.

— Eu pedi para abrir as janelas...

— Sim, desculpa, estou mandando um mensageiro.

O jovem chegou. Tinha uma barbicha para forçar a idade. Na minha adolescência, todo rapaz era um bode. Alguns continuam sendo.

Ele veio com um cardápio para assinar.

— Não pedi nada para comer ou beber.

— O senhor não solicitou a abertura das janelas?

— Sim.

— Deve assinar aqui.

— Por quê?

— Para abrir a janela.

— Como?

— O senhor precisa se responsabilizar por abrir a janela.

— Mas eu não me responsabilizei por abrir a porta, por abrir a geladeira, por abrir as gavetas. Que isso?

— É norma do hotel. Abriremos as janelas com seu termo de anuência.

Rabisquei na linha em branco para encerrar o assunto. Nunca tinha pensado em suicídio até aquele momento. Foi tanta solenidade que fiquei com vontade de me matar. O mensageiro criou a fantasia mórbida com o ofício. Deu a ideia. Fomentou a imaginação. Agora, sim, estava aflito com as cortinas farfalhando. As alturas me chamavam pelo apelido, com inegável intimidade.

Aguentei o pânico, suspeitei que, se me atirasse no pavilhão da Bienal do Livro colado ao hotel, o mundo inteiro diria que era mais um dos meus golpes de marketing.

Desci ao saguão disposto a respirar o térreo. Fugi imediatamente dali. Encontrei André, amigo de editora, lendo jornal. Puxei papo para me distrair. Evidente que descrevi os últimos acontecimentos.

Mas ele ficou pálido, mais nervoso do que eu, envergonhado. Resmungou:

— Quando entrei no meu apartamento, as janelas estavam abertas. Não pediram minha autorização. Vou reclamar ao gerente; não é um convite ao suicídio, já é um assassinato.

LUTA DESIGUAL

Restaurante com televisão provoca calafrios. É uma maneira de compensar a falta de assunto da família. Você espia, detesta o programa, olha de novo e já está mastigando de boca aberta. A tevê ameaça o emprego do garçom. Um dia, a gorjeta será direcionada para pagar o canal a cabo.

Aos sábados, gosto de almoçar tarde e quebrar o rigor da semana. Eu e minha esposa escolhemos uma mesa colada às paredes de madeira da cantina.

Sentamos num canto sossegado, com a privacidade para encostar as pernas a cada declaração. Havia retratos antigos e um cheiro de hortelã que bate qualquer incenso.

Iríamos pedir o prato, quando ela saltou:

— Vamos trocar de mesa?

Coloquei as mãos no tampo para verificar se estava firme; a mesa não estava manca.

— O que houve?

— É Van Damme na tevê.

Não acredito, ela é fã do troglodita Van Damme. Do fisicultor bailarino. Daquelas ações intermináveis em que o herói é maltratado, chora com os olhos arregalados e parte para uma represália vitoriosa.

A televisão de 40 polegadas me anulou. Sugeria com afinco opções do cardápio e Cínthya rebatia com desinteresse:

— Pode ser, pode ser.

Não entrava em pormenores para não prejudicar a concentração.

— Agora é o spacatto dele nas cadeiras, vê?

E suspirava, como se o spacatto fosse uma obra de arte, o Davi de Michelangelo.

Cínthya não se limitava a uma audiência silenciosa, discreta, dublava as principais cenas de O Grande Dragão Branco. Antecipava as falas, festejava com uma careta o espirro do sangue que não favorecia o avanço da minha colher no spaghetti ao sugo.

— O melhor amigo dele quase morre espancado; repara na maldade do Chihsing (?). É o início da vingança. Vingança, vingança!

Ela vibrava com os braços, o triunfo da pancadaria dependia estranhamente de sua torcida.

Eu me apavorei: há um homem na alma de minha mulher. Toquei em sua rima labial para procurar buço; não havia nada. Nenhum pelo no rosto. Passei a temer seu passado, sua criação com pôster de Arnold Schwarzenegger na porta do quarto, seu histórico na bilheteria do cinema em Passo Fundo ao figurar como reincidente nas séries Rocky e Rambo.

Em vez de coraçõezinhos e estrelas, especulei que marcava seu querido diário com rifles, bazucas e caveiras. Seus clássicos não eram Casablanca e Love Story, e sim Código de Silêncio, de Chuck Norris, Desejo de Matar, de Charles Bronson, e Operação Dragão, de Bruce Lee. E eu que me considerava insensível pelo excesso de futebol em casa.

Necessito loucamente de um exorcista. Levá-la a um trabalho contundente de magia negra. Acompanhá-la a uma faxina espiritual. Não sei se funcionaria. No terreiro, tenho minhas dúvidas de que aceitaria a Pomba Gira. Baixaria nela o Van Damme e mataria o pai de santo com golpes de kickboxing, karatê shotokan, muay thai e taekwondo.

Prometo dar o troco. Ainda vou mudar de mesa para assistir a Uma Linda Mulher, meu filme preferido.

CONTROLE REMOTO É MEU!

A mulher assumiu a maior parte das direções da vida masculina: a filial, a amorosa, a da casa e a da empresa. Não reclamamos: o mundo está finalmente em ordem e bem mais justo. Mas não aceitamos que a mulher deseje mandar na direção do nosso mijo. É demais, é autoritarismo, é extrapolar o poder. É entrar num dos últimos redutos da masculinidade, ao lado de matar baratas. É promover a extinção da espécie.

Ela vem com um moralismo de faxineira, uma censura de governanta, explicando que é fácil mirar no vaso, que não entende o descontrole, como despejamos a mangueira para o piso, professa o desleixo e a ausência de vontade.

Claro que não entende, faz xixi sentada. Desconsidera uma experiência inacreditavelmente diferente.

Conclui que é prender firme e centrar o ângulo, que é pouca a distância, elementar como bater um pênalti, e esquece a alta taxa de desperdício dos cobradores nos campeonatos.

Muitas mães tentam evitar a sujeira e ensinam os meninos a sentar na privada. É um travestimento perigoso. Não percebem o mal que estão cometendo, gerando problemas na sexualidade dos filhos devido a uma mania de limpeza. Afetará as posições sexuais no futuro e aumentará a preguiça na busca pelo prazer.

A mulher confunde o mijo do seu parceiro com um esporte: dardo ou arco e flecha. Confia na preparação existencial, na força psicológica do exercício e do condicionamento. Falta apenas aconselhar a contratação de um personal trainer e treinador, e incitar a desenvolver o talento e competir nas olimpíadas domésticas. Ficaria estranho entrar no banheiro acompanhado; logo seu varão sairia com camisa cavada e piercing no umbigo.

Receio que instale câmera na descarga ou, quem sabe, crie uma autoescola de mijo, com um mínimo de 20 aulas práticas e aprovação em psicotécnico a partir de desenhos, placas e passo a passo.

Ela vive dando orientações que desse jeito não dá para continuar. Reclama da tortura de sentar na tampa úmida, do cheiro de rodoviária, e recorre a uma filosofia preventiva de infecção hospitalar. Usa o golpe baixo de alardear que não se pensa na bunda da criança que ocupa o trono em seguida.

Por que ela não defende a limpeza depois da bagunça, em vez de insistir para que não aconteça o irremediável?

Não é que o homem distorce a pontaria quando está bêbado. Ele é naturalmente bêbado. Nasceu embriagado, amaldiçoado a segurar um misto de rojão e peteca. De repente, está mole e, no meio, endurece e muda a frequência da velocidade. Não há monotonia nos movimentos. Não há freio nas veias. É uma guinada abrupta no planejamento do ritmo. Os pilotos mais experientes aguentam a alternância; de qualquer forma, o balanço do final atinge a todos. A balançadinha estraga a operação até então impecável, limpa. A saída desmoraliza o andamento higiênico da mijada. O suspiro desordenado do jato acaba impulsionando a venda dos desinfetantes. E sofre muito mais quem tem fimose, ou o contrário, aquele que foi circuncidado, sem pele para conter a pressão.

Se a esposa e namorada está magoada com o caos, peça que coloque mictório no toalete. Nas situações extremas, uma banheira para não penar mais com o assunto.

Caso não funcione, sugiro que segure um dia para descobrir o que significa. Daí acho que vai virar outra coisa e tudo continuará como está.

PROPAGANDA DO AMOR OU AMOR DE PROPAGANDA

Há casais contra qualquer ostentação. Não realizam propaganda do seu amor. Não narram vantagens, não se elogiam em público, não descrevem o que ele ou ela preparou de especial na noite anterior, não geram ciúme, muito menos inveja entre os amigos. Não se derramam em abraços de aeroporto em cada esquina.

São os casais ideais, certo? Talvez durem para sempre, o que não traduz perfeição.

Não há como ser feliz sem merchandising do que se está vivendo. Sem morder a língua. Sem fofoca. Sem contar um pouco mais. É pensar e divulgar.

O amor é público, desde quando se estendeu a mão pela primeira vez com muito nervosismo para andar na rua com ela.

Não existe como disfarçar. Sensibilidade controlada é indiferença.

Um dos graves traumas afetivos é a falta de amor pelo amor.

Os pares se amam, mas estão descontentes por amar. Não desejavam estar amando. É um amor contrariado, um amor dissidente. Como uma maldição: Por que foi acontecer comigo logo agora?

É como se a companhia não fosse apropriada. Ou que não devia ter surgido naquele momento, é bem capaz de atrapalhar os negócios ou a vontade de viajar e de ser livre. Ou porque é diferente e não responde automaticamente. Perderemos tempo, perderemos a agilidade que tanto nos caracterizava.

Não se enxergam abençoados, e sim traídos pelo destino. Não tratam de alardear seu relacionamento como um feriado de sol. Por receio ou insegurança, não se orgulham da companhia. Nunca falarão: estou com quem sonhei, é perfeito para mim.

Não identificam que já têm o mais complicado, que o restante é simples: um cartão, um torpedo, uma cartinha, uma lembrança, um prato predileto, um capricho, um colo.

Amam ao mesmo tempo que odeiam. Amam ser, odeiam estar. Por aquilo que a convivência exige, pelo mal-estar de uma conversa truncada, pelo ciúme passivo e sempre existente, pela necessidade de telefonar e de se apaziguar, pela dependência ruidosa e ávida.

Quem ama alguém, mas odeia o amor, não terá paciência. Entrará num clima de suspeita irremediável. Conhece como o par fica irritado e trata de testar os limites. Não agrada para criar contrariedade e arrecadar sinais do fim. Quer se livrar do amor, não do outro, mas o amor está no outro que acaba pagando a conta.

Não consegue se separar, tampouco se entregar verdadeiramente.

Quando está em paz, enlouquece. Quando está estressado, age com distração e depois reclama da cobrança. Ou cobra a cobrança. Ou antecipa a cobrança que não viria. A briga está condicionada a uma postura catastrófica. Mobilizado a provar que não tem mais jeito. Em vez de elogiar, reclama. Em vez de se declarar, ironiza. Em vez de confiar, pragueja.

A mulher pode amá-lo, o homem pode amá-la, só que ambos não amam o próprio sentimento. Cada um não se ama por amar. Não basta amá-la, tem que se amar por amá-la. Não basta amá-lo, tem que se amar por amá-lo.

Mas a reflexão não termina por aqui. Caso contraiu piedade do que não ama o amor, há ainda um tipo mais terrível: aquele que ama o amor, mas não ama seu parceiro. Ama seu modo de amar e não aceita mais nada. Faz o amor de propaganda, que é o contrário de fazer propaganda do amor. Experimenta um delírio romântico. Tudo que o outro oferece não é do jeito conhecido, portanto não serve. Alimenta uma insatisfação constante, como um diretor que recusa o improviso de seus atores e manda repetir a cena. Não reconhece os gestos mais naturais e singelos. Sufoca o que vive de fato pela pressa de um cartão-postal. Funciona na base do escândalo: da serenata na janela, da Kombi do aniversário, dos presentes imensos e das provas vistosas. Será insaciável, pressionando para receber o que somente ele imaginou (e nunca confessou).

É um desalmado da privacidade, um amante genérico, porque ama demais a si para amar quem quer que seja.

CASA, APARTAMENTO

Eu morei em casa durante a infância. Um pátio imenso para desaparecer na tarde e propor experimentos científicos. Coitadas das formigas e das lagartixas que não estavam interessadas no progresso da ciência e da minha maldade. O mais prazeroso no excesso do espaço é que estar na residência não correspondia a ser encontrado. Ao despistar uma visita indesejada, não tinha que prender o sopro na sala ou me esconder debaixo da cama. Estava muito longe para ser decifrado.

Regressava diante dos apelos desesperados da mãe ou de um acidente espalhafatoso dos irmãos — não me arriscaria a perder a reprimenda que eles levariam.

Fui e sou um defensor do quintal. Mas tenho que admitir que um edifício completa meu sonho de indiscrição. É fácil adivinhar o que cada vizinho anda fazendo.

Escuto brigas terríveis entre os casais. Troco minha posição de janela para melhorar a audição e definir os antecedentes da quebradeira (não consigo definir, os casais confessam os motivos em voz baixa e a gritaria corresponde ao estágio final do embate). Logo que um casamento entra em choque, o prédio mergulha num estado de silêncio e púrpura. É a lei da compensação: aquele par está tão mal que os demais inquilinos esquecem suas infelicidades. A briga vizinha desperta uma incrível vontade de namorar. Quantos filhos foram gerados, inspirados em noites de fúria alheia?

Nos estreitos corredores, os segredos são vantagens. Sei quais crianças jogam lama nos pedestres ou roubam os adereços de minha porta. Aliás, as crianças são o sinal de que envelhecemos. No meu ingresso no condomínio, havia um nenê loiro do segundo andar; hoje ele está com dez anos, cabelos pretos e andando de skate. Sou o Matusalém para ele. Outra coisa boa é falar mal dos vizinhos. Eles nos emagrecem na hora. "Você viu como aquela família está gorda? Foi logo quando assumiu o condomínio." Jogo inofensivo de indecências e insinuações.

Existem ainda os mistérios insolúveis, que acompanho com renovada curiosidade e não abro a boca. Uma das regras da vizinhança é não delatar os moradores, mesmo sob tortura. O senhor grisalho do apartamento de baixo — desconheço o significado da mania — joga erva-mate no telhado de uma casa junto ao prédio. Às 23h30, ele limpa sua cuia nas telhas. As calhas entupiram, e a dona da casa não entende a rapidez assombrosa do limo. Mensalmente, seu empregado sobe no telhado e faz uma faxina.

Meu nariz mora no quarto andar. Ao passar pelo corredor, sinto o arroz e feijão requentado do 404, a roupa sendo passada do 302, o desodorante solteiro do 301, a maconha do 203, a comida ácida de bebês do 101.

Apesar da porta nos separando, eu enxergo plenamente meus vizinhos. Dependo dos cheiros para definir os passos. Vou descendo em cada perfume. O perfume é meu andar. Uma tranquilidade caseira abastece as pernas. Na respiração, nunca estarei sozinho.

SONHO MATERNO

O sonho de toda mãe mais velha é segurar a mão de seu filho adulto na rua.

Que seu rebento partilhe um pouco de sua pele durante cem metros.

Casado, separado, divorciado, tanto faz o estado civil, se está com cavanhaque ou penacho, se é emo ou cowboy, ela tenta reaver os preciosos momentos da infância em que o buscava na escola e não havia vergonha para entrelaçar as palmas em público.

A adolescência criou uma barreira invisível e intransponível que não permite se aproximar do filho com naturalidade. Não é fácil puxar seus cotovelos para perto. Abraço acontece em data comemorativa; e mão, somente em caso de doença.

Desde que arrumou mulheres e passou a voltar tarde, ele não dá mais a mão fora de casa. É um tabu, um medo de ser contagiado pela emoção, um atentado ao pudor.

O menino crescido pede distância nas caminhadas. No máximo, oferece a argola dos braços, como se fosse uma muleta amparando a lentidão dos passos.

O mais alto desejo é receber os dedos do filho como um anel de brilhante, que os vizinhos reconheçam os cuidados de uma vida dedicada à maternidade, que ela sirva de exemplo às próximas gerações, provoque ciúme nas escadarias das igrejas. É uma recompensa social, é retirar finalmente o Fundo de Garantia doméstico.

E não vale em faixa de segurança, onde a mãe se sentirá inválida; a aspiração depende do espaço largo das calçadas e da curiosidade indiscreta dos passantes.

Toda mãe madura tem esse sonho, que é o pesadelo do filho.

Já observei a mãe Maria Elisa de setenta anos me enganchar com suas unhas pintadas de rosa antigo. São décadas insistindo, teimando, chega a irritar sua obsessão, que mania!, ela sabe que não gosto. Aproveita alguma distração, um riso à toa e espicha o braço. Talvez cogite que é o momento, que finalmente me abrirei de novo ao convívio. Eu recuso, fecho metade do punho, digo que esqueci o celular em casa e preciso voltar. Fingimos que nunca existiu a atitude, apesar de sempre existir.

Andar de mãos dadas com ela é aceitar a pecha de filhinho da mamãe, é acolher o estigma eternamente. Não serei levado a sério. O que minha namorada vai pensar?

Não posso arriscar, é o equivalente a trocar a gravata pelo babador. Perderei a reputação no banco e o respeito das lotéricas. Alguns dirão que sofro de Complexo de Édipo, outros a chamarão de sem-vergonha abusando de jovenzinhos.

Acho que conseguiria adiar a crise diplomática para mais alguns anos, mas o maldito irmão Miguel quebrou o protocolo. Traiu a família, o acordo silencioso, o inventário dos gestos.

Além de levá-la ao cinema, percorreu o shopping inteiro apertando sua mão, inclusive na frente das lojas do Grêmio e do Inter. Eu me tornei insensível, extraviei sua herança, com nenhuma chance de retomar a posição de dileto. Vou procurar o perdão beijando meu pai no calçadão da rua da Praia.

DEPOIS DE MUITO AMOR

A mulher somente despreza quem ela amou demais. Não é qualquer homem que merece, não é qualquer pessoa. Pede uma longa história de convivência, tentativas e vindas, mutilações e desculpas. O desprezo surge após longo desespero. É quando o desespero cansa, quando a dúvida não reabre mais a ferida.

É possível desprezar pai e mãe, ex-esposa ou ex-marido, aquele de quem se esperava tanto. Não se pode sentir desprezo por um desconhecido, por um colega de trabalho, por um amigo recente. O desprezo demora toda a vida, é outra vida. É nossa incrível capacidade de transformar o ente familiar num sujeito anônimo.

Assim que se torna desprezo, é irreversível, não é uma opinião que se troca, um princípio que se aperfeiçoa. Incorpora-se ao nosso caráter.

Desprezo não recebe promoção, não decresce com o tempo. Não existe como convencer seu portador a largá-lo. Não é algo que dominamos, tampouco gera orgulho, nunca será um troféu que se põe na estante.

Desprezo é uma casa que não será novamente habitada. Uma casa em inventário. Uma casa que ocupa um espaço, mas não conta.

É a medida do que não foi feito, uma régua do deserto. A saudade mede a falta. O desprezo mede a ausência.

O desprezo não costuma acontecer na adolescência, fase em que nada realmente acaba e toda vela de aniversário ainda teima em acender. É reservado aos adultos, desconfio que deflagre a velhice; vem de um amor abandonado. Trata-se de um mergulho corajoso ao pântano de si, desaconselhável aos corações doces e puros, representa a mais aterrorizante e ameaçadora experiência. Uma intimidade perdida, solitária, uma intimidade que se soltou da raiz do voo.

O desprezo é um ódio morto. É quando o ódio não é mais correspondido.

Não significa que se aceitou o passado, que se tolera o futuro; é uma desistência. Uma espécie de serenidade da indiferença. Não desencadeia retaliação, não se tem mais vontade de reclamar, não se tem mais gana para ofender. Supera a ideia de fim, é a abolição do início.

Não desejaria isso para nenhum homem. O desprezado é mais do que um fantasma. Não é que morreu, sequer nasceu; seu nascimento foi anulado, ele deixa de existir.

O desprezo é um amor além do amor, muito além do amor. Não há como voltar dele.

POTES DE REQUEIJÃO

Eu me dei conta de que tudo é exercício para estar acompanhado. Arrumar a cama, por exemplo. Há gente que coloca o cobertor fincado internamente nas bordas do colchão, revelando índole possessiva e ciumenta. Há gente que deixa o cobertor solto, mostrando desapego e sociabilidade. Há gente que nem ajeita, denunciando solidão e independência.

Vejo um temperamento nas banalidades. Eu dobro o lençol como aba de envelope sobre o cobertor. Minha avó me alertou: "Cobertor é masculino, lençol é feminino". Faz sentido: ambos estão casados, esperando nosso olhar (o que explica que a cama se encontra curiosamente aquecida algumas vezes).

Arrumo os travesseiros com delícia porque é um ânimo a mais para namorar. Caminho de um lado a outro, concentrado. Trocar a roupa de cama é sempre reinaugurar o quarto.

Transformo a disposição do tecido num bilhete de amor. Desde a minha infância. Sou uma palavra dentro, bordada.

A solidão foi meu laboratório. Minha dança com o espelho. Cada ato, cada atitude insignificante representava a preparação para receber alguém. Minha solidão é tão feminina: não estranho que Cínthya não tenha surgido dela.

Quando retirava o rótulo das cervejas na adolescência, não passava pela minha cabeça que participava de um curso de noivo. Na época, aquela fixação das unhas na embalagem sugeria vadiagem. Aos colegas, cheirava como tristeza. Mas era uma antecipação, já cuidava para não me atrasar ao encontro.

As garrafas da boemia me ajudaram a descolar depois o papel dos potes de requeijão. As distrações são técnicas domésticas. Ninguém me bate na ciência de não deixar adesivo no vidro. Resta limpo, luminoso, um copo ileso na prateleira.

Os casais que moram juntos não entendem o quanto são felizes. Como é fácil selar a paz dormindo na mesma cama. Uma hora vão suspirar de ternura no meio da madrugada ou esticar o braço ao longo do outro corpo e recompor a distância.

Durante o namoro, é preciso avisar, marcar hora, entrar em acordo. A conversa segue um ritmo nervoso, que logo esbarra numa reclamação e suspeita.

Tanto que os namorados, ao se encontrarem, não têm direito de trabalhar ou se isolar em seus passatempos. É um insulto. Compreendido como um desinteresse. Um dos dois se enxergará preterido, seja pela televisão, seja pelo computador.

Já os casados não aparecem, estão lá, com a chance permanente de comover. O corredor é o pressentimento do abraço. Não há urgência em finalizar um assunto, nem a obrigação de ser amoroso. É bater papo com ela enquanto toma banho, é arrumar suas coisas para ganhar tempo.

Os casados estão despertos ao cuidado. Será simples surpreender, basta reparar que acabou a granola dela e trazer um novo pacote do mercado. Com certeza, os grãos formarão um buquê na xícara.

No namoro, qualquer mimo é previsível, uma chantagem. No casamento, toda lembrança é inesperada, uma gentileza.

Não coloquei nada fora em mim porque poderia usar como enxoval no futuro.

DUPLO SENTIDO

A sensualidade é a infância da vida adulta. Ou alguém ainda duvida de que sexo é brincadeira?

Uma palavra certa, e a vontade não larga mais o pensamento. Quando a namorada sugere que é lasciva, eu não me contenho. Lasciva é uma palavra muito rápida, entra direto no sangue. Derrubo minhas defesas também diante de "assanhada" e "safada". Um amigo não pode escutar lúbrica que abandona sua carreira.

A audição se desespera com a realidade paralela dos vocábulos. Sou da turma do sexo falado. Não me permito pecar quieto. Saio para pescar na conversa.

Gemer em silêncio somente na masturbação; tampouco partilho da crença da música ao fundo. Reivindico a gritaria, as frases doidas, o acinte animal. O ritmo vem unicamente da respiração e da falta dela.

É um efeito colateral da minha geração. O carro foi o primeiro quarto, o sofá foi o primeiro hotel. Não encontrava tanto conforto para transar, necessitava arretar semanas e convencer a menina de que valeria a pena, que só seria um pouquinho, que deixasse entrar. Aproveitava a saída dos pais para explorar a solidão lisa do seu corpo. Era um suspense, uma vertigem. Qualquer ruído na porta modificava o embalo da cintura. Procurava me manter perto das almofadas. Desde a adolescência, fui preparado para o flagrante. Cresci sob a pressão da maçaneta.

Sexo não acontecia com tranquilidade, despir dependia do pôquer da dicção. Falava algo bonito para retirar o sutiã dela, falava algo perigoso para arrancar a calça, amor eterno somente com a calcinha, e ainda existiam frequentes recuos de pudor. Muitas vezes, ela terminava mais vestida do que quando a gente começava. Nem sempre dava certo. Uma frase oportunista e indiferente puxava o freio de mão. Ela deveria entender que eu amava, que não me aproveitava de sua ingenuidade, que permaneceríamos juntos. Sexo exigia convencimento, persuasão erótica, promessas de Lagoa Azul.

Brincar com o duplo sentido continua um jogo favorito. Enrijeço na disputa de insinuações. É dizer e não dizer, é despertar o lençol na toalha de mesa, é atiçar a curiosidade dos dentes com a língua, pesar a pálpebra para espiar o vão da voz.

Tenho uma elasticidade incomum para formar dimensões alternativas. Não me contento com nada direto, tipo uma mulher confessando que vai beber todo o chantilly do café. Isso é pornografia. Viajo além. Se ela comenta que procura um mouse retrátil, fico louco. Retrátil? Eu me ponho em movimento. Já quero ser retrátil.

O Aurélio é meu Kama Sutra.

GUARDE-ME EM SEU COLAR

Já sabemos o que vai acontecer, não sabemos como, nunca sabemos como. Ela pode estar mais pura ou mais sarcástica. Posso receber sua precipitação ou sua paz.

Quando transo com minha mulher, temo perder a memória. É para esquecer datas, lugares, nomes. Somos desmemoriados pelo excesso de desejo.

O que mais me excita é que ela não tira o colar. Nua, branca, sinuosa, resiste com o colar. Já largou a calcinha e o sutiã, e não o colar. Ela é impetuosa, pisa em suas roupas quando vem em minha direção, mas não se afasta do colar. Não se esconde nas cobertas, pede que eu a olhe, que eu a admire, que eu tenha consciência com quem estou lidando. Não há mais timidez, não há timidez na fome. Ela me encara com suas contas no pescoço. Já nos conhecemos demais, e isso aumenta o mistério. A intimidade é perigosa porque é capaz de ferir para aumentar a fragilidade. A surpresa somente existe na intimidade. Intimidade é a confiança dentro do medo.

Ela não sobe e desce. Subir e descer não requer arrebatamento — é angústia dos apaixonados. O que ela faz é diferente:

ela anda pelos lados. Ela ladeia em mim. Monta em círculos. Como se a cama não tivesse fim ou borda. Como se minha nudez fosse a sua e ela se devolvesse.

Não aumenta os movimentos, desobedece o vento, diminui, desacelera. Brinca em se despedir. Como se alguém fosse entrar naquele momento pela porta. Como se ouvisse um barulho estranho e parasse. E não chega ninguém, e rebola, os lençóis perto são sua saia, ela me desafia a ver o que está vendo — nos assistimos por um tempo para criar saudade antes da lembrança.

O colar balança, seus seios seguram minhas mãos. Não é aturdida de pressa, não pretende se livrar do meu cheiro. Ela me agride com as palavras e me acalma com seu movimento. São duas mulheres conversando com o meu corpo, brigando pelo meu corpo, indecisas, a que liberta pela fala e a que me prende pelas pernas. Eu não entendo para onde vou, e me seguro na confusão.

Não pergunto quando vai gozar. Ela morderá o colar. Morderá com força. Nada mais deslumbrante do que uma mulher mordendo o colar para não gritar. Um dia ainda verei as pedras partindo de seus olhos.

Seu colar é minha coleira.

O DRAGÃO DA MALDADE E O SANTO GUERREIRO

A tatuagem é o horóscopo do corpo.

Não há cantada mais previsível do que exclamar "Que linda sua tatuagem". O passo seguinte é "Posso ver?". Se ela estiver escondida, o assanhamento cresce.

A vaidade anula a reação da vítima, nem percebe a cafonice do galanteio e mostra os traços. Cessa o que está fazendo para arregaçar as mangas no meio da rua e oferece o braço e os ombros para assegurar uma maior visibilidade ao espectador.

A alegria pelo reconhecimento do bom gosto apaga a consciência de que todos (todos!) fazem igual. Ocorre uma ingenuidade que entorpece o senso crítico. Uma adoração da marca que embaralha a inteligência.

Quem é tatuado se sente correspondido e fala para um estranho o que nunca ousou contar nem para si. Detalha onde realizou e o que pretende transmitir com a inscrição.

Toda tatuagem é uma tese acadêmica, com resumo pronto. Pode ser um ideograma, uma estrela, uma borboleta, um personagem infantil, linhas tribais; existe sempre uma filosofia de vida por detrás, uma explicação, uma predestinação biográfica. A tatuagem é confissão na certa. Converteu-se realmente no novo signo. Mais usado do que mapa astral, ascendente, lua e forças astrológicas no boteco e nas baladas. Qualquer um recorre a esse recurso na abordagem, não precisa conhecer a língua portuguesa para seguir em frente. Virou uma praga do vestiário e dos clubes sociais.

Na segunda piscadela, vem o diálogo pronto. A ordem segue o roteiro imutável de um vendedor de seguros, o deslumbramento inicial — "uma tatuagem, olha só" — que vira interesse comercial — "me conte mais?".

A observação convida ao striptease. Uma tatuagem chama a outra que chama outra, e aquilo que começou com uma pose termina em calendário de borracharia.

A cantada é genuinamente brega como "Sandra Rosa Madalena", de Sidney Magal. Não difere coisa alguma do questionário dos Paulo Coelho da pegação: "Está machucada?"/ "Por quê?"/ "Pois você é um anjo que caiu do céu".

Feliz era minha infância, em que a mulher tinha que possuir uma cicatriz para provocar curiosidade. Tinha que possuir uma pinta para gerar suspense. Não era simples seduzir. Os cafajestes não gozavam de facilidades como hoje.

Venho sofrendo com as tatuagens, não as minhas, da esposa. Estou me transformando em Bentinho vigiando Capitu. Só que os olhos de ressaca são meus.

Era fã de carteirinha dos desenhos na pele, a chance do mundo inteiro ser sardento — o sardento é um iluminado de nascença. Mas venho mudando de ideia. Ela já tem cinco tatuagens, atraindo o cerceamento de vigaristas. Em seu corpo, é possível encontrar um lagarto e uma inscrição "honrar la vida" de Mercedes Sosa cobrindo a lombar, uma ovelha negra homenageando Nietzsche na canela direita , um "Old School" com o lema em inglês "Chegar lá é metade da diversão, manter-se lá é metade da batalha", e um Jack de Tim Burton na perna esquerda. E vou avisando ao leitor para que não pergunte a ela.

Eu apenas fico feliz no inverno. Quanto mais frio e casacos, menores a enxaqueca e a preocupação. Durante o verão, não vejo escapatória, devo aturar a nuvem de insetos em cima de sua brancura; uma linha sempre escapará das roupas, espécie de isca que denuncia o cardume silencioso da tinta.

O que me irrita é que o sujeito apaga a minha existência. Mesmo com os beijos, abraços e mãos dadas, é capaz ainda de me confundir com irmão ou amigo gay.

Na última vez, um jovem desmiolado destacou a tatuagem de Cínthya diante da plateia de meu ciúme.

Logo repliquei: — É minha mulher.

Ele encabulou. Não deixei por menos, levantei a barra da calça para que ele observasse meu Dragão cuspindo fogo.

— Não vai elogiar?

SIGILO PROFISSIONAL

Escritor é fofoqueiro. Fofoca até o que acontece em sua imaginação. Se a vida não ajuda, ele trata de ajudar a vida inventando casos. É um trabalho em equipe.

Uma das minhas euforias é contar o dia para minha esposa. Volto de uma palestra, de uma aula, e vou falando sem nenhum empurrão. Narro que toquei no braço da poltrona e vi um chiclete colado no forro e fiquei sondando qual havia sido o palestrante porco que me antecedera, lembro que fui elogiar um brinco da mediadora e era uma verruga, falo mal de uns e de outros, reproduzo o desempenho dos estudantes que mais crescem na atividade, cristalizo frases do Vicente ("Só sonho nos finais de semana, quando tenho direito a dormir até 8h30") e coleciono dados para impressioná-la, tipo que a empresa Marcopolo vendeu 700 ônibus para a Copa ou que Robinho é o jogador que fez mais propagandas no país. Confesso o que comi no almoço, o que jantei, quem encontrei, atualizo as histórias de meus amigos prediletos (todo amigo é uma fotonovela). Reproduzo frases do Twitter, explico os textos que escrevi, sou uma draga.

É evidente que busco o contraponto e pergunto no meio da catarse noturna: — Como foi seu dia?

Instante de tirar os sapatos, relaxar e intercambiar experiências. É a pausa para não me envaidecer com as próprias lembranças e desafiar os olhos a piscar devagar.

Mas ela me responde sempre com "bom".

— E o atendimento? — insisto.

— Deu tudo certo. — E o papo termina sem mais nem menos. Não termina, expira.

Namorar uma psiquiatra é o equivalente a namorar um agente secreto. Não há passado, mas prontuários. Ela não me abre coisa alguma, avisa que é tudo privado e segredo de paciente. Uma confidência de padre. Que não insista, que sua clientela confia nela. Tem uma bula de argumentos: se cochichar um hábito, serei bem capaz de reconhecer seu portador na rua.

Já ousei trilhar as perguntas de vários caminhos e sou interceptado com lacônicas generalizações. Não me esclarece se é homem ou mulher, sua saída é usar "uma pessoa". Alta ou baixa? Nunca. Magra ou gorda? Nunca.

Fujo de seu telefone para não causar mal-estar. Quando tem uma urgência, saio de perto e cantarolo a fim de abafar o som. Eu me reprimo para não me deprimir.

Cogito em criar uma associação dos namorados e das namoradas de psiquiatras. Para discutir tudo que não sabem dos seus parceiros e como admitir a inexistência diurna.

O máximo de intimidade é quando ela diferencia o atendimento entre pesado e leve. Pouco alcanço o que está passando, o que enfrentou em horas e horas de divã, se tem conseguido absorver traumas e resistências. Quem diz que não está metida numa boca braba? Não há um vazamento para descobrir a calha quebrada. Ela não fala, não pode falar. Não comenta uma indiscrição, guarda para si, uma pira espartana. Partilha convicções de uma seita, participa de uma mensagem cifrada, abraçou uma vocação, uma missão altamente solitária. Algo que minha curiosidade não aceitará. Não faz nenhuma diferença se prometo segredo — ela me achará abusado e invasivo. Não está no horizonte correr riscos profissionais pela minha carência. É assim, e que trate de me acostumar.

Se eu fosse um colega, talvez me pedisse conselhos, talvez me ligasse para confirmar a dosagem da medicação, talvez dedicasse noites a detalhar fatos e cruzar informações. Apaziguada, desligaria o abajur, encostaria o rosto no peito e me agradeceria sinceramente pela ajuda e paciência. Eu me sentiria importante, lavaríamos os jalecos na mesma máquina de lavar. Ela não arderia de medo das minhas palavras e atitudes. Em nossas gargantas, haveria um idêntico juramento de formatura.

Mas eu não tenho anel verde de médico, meu sonho é a aliança que simplifica e democratiza as confidências, sofro horrores porque desconheço o dia dela. Não diferencio sua segunda da terça da quarta da quinta da sexta. É tudo um dia bom.

Ou arrumo um psiquiatra para desabafar ou curso psiquiatria enquanto é tempo.

DIA DA OFENSA

Brigamos quando não desejamos brigar. Existe paz e amor. Não existe paz no amor. John Lennon errou a equação.

Por isso, decidi que agora vou planejar uma briga com a namorada. Agendar uma briga. Arrumar uma data mensal para o inferno dos berros, choro e insultos. É o dia da ofensa no lugar das pequenas e irritantes DRs.

Em vez de avisar que pretendemos nos acalmar e ajudar, que somente pretendíamos conversar na boa, assumiremos que é uma guerra desde a primeira palavra. Dará no mesmo ao querer e não querer discutir.

Não será fácil, vamos rir dispersivos no início, haverá a inclinação para comentar algo do trabalho ou cafungar o pescoço, sentiremos fome, dependeremos de concentração e orelhas fervendo. Mas vale o sacrifício, trata-se de uma catarse necessária para empobrecer os recalques.

Prefiro uma mulher que me ofenda tudo num dia do que uma mulher que me ofenda um pouco por dia. É melhor. Mais sadio. Menos insano.

Desde que os casais aceitem uma regra básica: não vale colher insultos durante o entrevero para cobrar depois.

Pode falar as maiores perversidades e mentiras nos 90 minutos do confronto, incluindo intervalo e troca de lado na cama (gritaria que não dura um jogo de futebol indica o fim do amor). Pode juntar suspeitas avulsas, perguntas ancestrais e rumores antigos. É uma promoção: só nome feio e ofensa de baixo calão. Até xingar a mãe é permitido.

A única exigência é respeitar o território da hostilidade, fazer um círculo de giz no espaço e no tempo e permanecer naquela roda. Nada sai do contexto. Não vale embrulhar salgados e impropérios para a manhã seguinte. Deve-se comer somente na festa da raiva. No instante da cólera. Com sangue quente.

O grande problema dos atritos domésticos é que o insulto de uma briga passa a ser transportado para a seguinte e para a seguinte. No fim das contas, a batalha é uma só que nunca terminou. Uma gripe mal-curada que gera a vontade de cuspir na próxima gripe.

Caso reuníssemos uma noite para limpar o pulmão, cansaríamos de tossir e bufar. E o suspiro reencontraria a brisa e pediria para andar de mãos dadas com o beijo.

Feito esse passo, agora é o momento de lavar a honra do ciúme.

Pior do que ciúme é a falta de ciúme. A indiferença é uma doença muito mais grave. Alguém que não está aí para o que faz ou não faz, para onde vai e quando volta. De solidão, chega a do ventre, que durou nove meses.

Tão cansativa essa mania de ser impessoal no relacionamento, de ser controlado, de procurar terapia para conter a loucura. Loucura é não poder exercer a loucura.

Permita que sua companhia seja temperamental, intensa, passional. As consequências são generosas. Ela suplicará o esquecimento com mimos, sexo e delicadeza. O perdão é sempre mais veemente do que o rancor.

Repare que, no início do namoro, todos são descolados, independentes, autônomos. Aceitam ménage à trois, swing e Chatroulette. Não caia, é disfarce, medo puro de desagradar.

Se minha namorada um dia arder de desconfiança, agradecerei. Surgirá a certeza de que se importa comigo.

Com uma mulher ciumenta ao lado nunca estaremos isolados, nunca estaremos tristes, nunca estaremos feios. Deixarei que ela mexa em meu Orkut, deixarei que ela leia meus e-mails e chamadas no celular, deixarei que ela cheire as minhas camisas, deixarei que ela veja meus canhotos e confira os cartões de crédito (com sua revisão, nem dependo de contador; é improvável um engano nas faturas).

Facilitarei o acesso às máquinas, devidamente abertas e ligadas em cima da mesa, e tomarei banho para não incomodar. No jantar, esclarecerei qualquer dúvida.

Perigoso é não responder e deixar a namorada imaginar. Entre a realidade e sua fantasia, mil vezes contar o desnecessário. Estarei em lucro. Não faço nem metade do que ela pressentiu.

VOLÚVEL

Não gostava da escola, mas do cheiro de caderno novo, da caixa de lápis de cor com as pontas finas, dos livros com as páginas grudadas. Do primeiro dia de aula em que desfraldaria o material e descobriria se a turma permaneceria a mesma.

Mantenho o deslumbramento pelas estreias. Curto me inscrever em academia de musculação. Pago adiantado dois meses para doer os bolsos e fundamentar a disciplina. Marco o compromisso de madrugada, disposto a não correr riscos de cruzamento com outras atividades. Aviso que não vou de carro, e sim de bicicleta para fortalecer o aquecimento. Fico excitado com a possibilidade de viver até os oitenta anos, morar em Veranópolis e participar das estatísticas de longevidade do lugar.

Com a matrícula na mão, passo a noite inteira comentando a guinada nos hábitos, o quanto não irei adiar mais os cuidados com o corpo, que a intenção nem é alcançar um porte sarado, inadequado ao meu tipo físico, quero procurar mais saúde nos hábitos. Eu me ironizo, resmungando que não dava para continuar assim, que meu peitoral apenas fica rijo de tensão. Desfio, então, o típico discurso de morrer bem velhinho e tarado. Não percebo que é o que todo sedentário diz.

Cínthya, que joga tênis e faz ginástica três vezes por semana, pensa que finalmente tomei jeito.

Realizo o exame médico, compro halteres, roupas e tênis, redireciono a casa a atender às exigências esportivas. Compro até espelho no quarto para treinar nas folgas e não sonegar os movimentos das abdominais.

No dia inaugural, é uma maravilha, já falo como um atleta, com postura ereta e controlando datas das próximas provas de maratona na internet. No segundo dia, chego trinta minutos atrasado (é inverno e dormi tarde) e encurto com pesar a sequência de exercícios. No terceiro dia, já não compareço pela correção acumulada dos trabalhos na universidade. No quarto dia, academia? Que academia? Já foram oito em cinco anos. E desisto, sem ao menos perguntar o nome do professor.

Não duro em meus planos, a não ser que sejam necessidades. Mas nunca transformo objetivos em necessidades. Sou fogo de palha, um tipo curioso: o volúvel previsível.

Foi igual com curso de italiano, ioga, dança de salão e tênis. Eu me apresentava aos colegas, justificava a mudança gloriosa de costumes e logo abandonava os planos, culpando o excesso de trabalho.

As lorotas são de um viciado, que defende a recuperação em casa e anuncia que o fim das drogas é mera questão de força de vontade.

Desisti de me enganar quando tentei subornar uma máquina de farmácia. Atingi o fundo do poço.

É aquela branquinha, com visor verde, que mede o índice corporal a partir da altura e do peso.

O estabelecimento estava vazio, aproveitei a quietude das prateleiras, o tédio dos funcionários para consumar a fraude. Pisei no tapete da balança gigante. A voz metálica ordenou que colocasse R$ 1. Perguntei se ela não tinha filhos para sustentar e se não aceitaria receber quatro vezes a quantia. Abri a niqueleira ruidosa e mostrei a tentação. Como ela silenciou, enfiei quatro moedas garganta abaixo.

Orgulhoso da propina, ergui o peito e esperei o canto.

Ela meio que engasgou, piscou como um brinquedo Genius em sua última fase, deve ter sofrido uma crise de consciência, mas colocou a língua para fora.

Peguei o bilhete:

140 kg, 1m50, IMC 62,22...

A única coisa que irá morrer de velho em mim é o discurso.

MUITAS CHANCES NUMA ÚNICA CHANCE

Não pensem que todos querem um amor grande. Reclamam, mas não querem.

Há gente que diminui o amor de propósito para não sofrer com ele. Elabora uma versão para provar que ele não existiu. Deixam o amor escapar, sumir, desaparecer para não se atrapalhar. Há gente que até se convence de que aquele amor grande não era devidamente grande.

Há gente que pede um amor pequeno, doméstico, que não desestruture seus hábitos. Um amor anão de jardim, um amor de balcão, de pé, rápido. Um amor minúsculo, sem acento, que não rivalize o amor-próprio. Que esteja próximo, mas não fale alto, que esteja perto, mas não influencie, que seja chamado quando se tem vontade e seja desfeito quando não serve mais.

O amor grande não traz uma felicidade constante — é a principal cilada —, traz uma felicidade irregular, intensa, atávica, que voa muito mais alto do que o conforto. Na estabilidade, é fácil sair da felicidade e da tristeza. No amor, descobrimos o quanto podemos ser felizes, e incomoda ter que buscar mais felicidade. Descobrimos o quanto podemos também ser tristes, e incomoda que não sairemos da tristeza sem que o amor volte.

Um amor miúdo vai ao psiquiatra de manhã e termina a relação de noite. O amor grande termina com psiquiatra de manhã e se reconcilia à noite.

Porque o amor grande é uma insanidade lúcida, nem os melhores amigos entendem, é detratar e se retratar com mais frequência do que se gostaria. Amor é o excesso de responsabilidade, de encargo, confiado a quem nos acompanha. Oferecemos o que não conseguimos alcançar.

Sempre seremos menores do que ele, já que é o único que cresce na extinção. Minha mãe costuma dizer que casamos quando encontramos uma solidão maior do que a nossa — só assim saímos da própria solidão.

Há gente, sim, que muda de amor para não mudar de opinião, que muda de homem para não mudar sua rotina, que manda onde não vigora poder e dominação. Que culpa o amor por não dar conta dele, que ama já pedindo desculpa por não amar.

O amor grande não é um grande amor.

Há gente que desperdiça a chance do amor grande porque há apenas uma chance para amar grande. Muitas chances dentro de uma chance. O resto são disfarces, suturas, apoios.

Amor grande seria insuportável duas vezes nesta vida. Ou a gente se apequena para receber esse amor ou permanece se engrandecendo para não aceitá-lo.

MELHOR DO QUE CONCHINHA

Para Eduardo Nasi, amigo de boas ideias

Não será dormindo de conchinha que revelaremos amor na primeira noite.

A posição é excessivamente controlada. Posada.

Tem até lógica: prevenir o roubo do lençol. Mas a cena não ultrapassa a praticidade romântica. É um pouco infantil, uma regressão ao ventre. Nesta hora, ninguém precisa mais de posições fetais. E do colo de mãe.

Amor se revela quando os dois vão dormir e acordam amontoados. As pernas femininas sobre as pernas do homem, os braços enrolados como fantoches, os beijos agora suspirados; uma sensação de clandestinidade no próprio corpo. Como um barco cubano, absolutamente ilegal, atravessando o Oceano Atlântico em direção à Miami.

Quem apaga amontoado confessa atração química. Não se rendeu, apesar do gozo, do sono, do medo de ser inconveniente. Sentirá câimbras, formigamentos. Ou não sentirá nada de manhã com a dormência dos movimentos. Qualquer que seja o imposto, não se mexe. Não abandona sua vigília. Não confia que conquistou, que seduziu, que concluiu.

O casal amontoado é ambicioso. Ambos não dormem juntos, já moram juntos um na nudez do outro. Como se estivessem mortos, porém intensos, vivos, alucinando mais do que sonhando.

Os longos cabelos negros encordoando o peito masculino, as coxas ainda atentas, os seios curiosos. A tensão permanece, a conversa prossegue no escuro com exclamações ilegíveis, a mão é um abajur aceso. Não é um descanso organizado, planejado; é um sono de fundo falso, agitado de sons, sobrevoando o conforto. Uma ânsia de ficar junto de qualquer jeito, aproveitar toda a pressa da pele. Finge-se desmaio para prosseguir o trabalho com a respiração.

O casal pode estar exausto, arrebentado por tudo que foi dado, mas ele e ela ainda se caçam de modo involuntário. Entendem que o sexo pede mais carícia. Não foram cada um para seu lado, aliviados do prazer. Muito menos desejaram a tranquilidade caseira do encaixe. Não se cansaram da proximidade. Estão lutando pela permanência na memória, brigando para não serem esquecidos, insistindo para que se telefonem no dia seguinte, arrumando motivos e desculpas.

Amontoar é o momento em que mostramos que o cheiro nos agrada, que não há como voltar a ser como antes.

Significa que nenhum dos dois vai se separar de manhã. Não terminaram de se encontrar.

CLAUDIA

Aniversário tem desses paradoxos; a gente não avisa, mas quer ser lembrado.

E, se avisa, não tem graça receber parabéns. Parece jogada ensaiada. Parece esmola. Não há maior incompetência do que festejar na hora em que se é avisado pelo próprio aniversariante.

Ruim é quando ele se antecipa, preenchendo cheques imaginários:

— Sabe que data é hoje?

É evidente que responderemos qualquer coisa, menos o óbvio. O óbvio é o último a ser lembrado.

Todo pensamento esconde uma confissão. Uma de minhas melhores amigas, Claudia Tajes, estava trocando de idade. Não me lembrei porque não anoto e dependo de uma rede de amigos para dobrar a agenda.

A tragédia é que telefonei para ela no dia do seu aniversário para não falar disso. Pedi ainda um favor. Formal. Como se ela fosse uma operadora de telemarketing.

Não ligo sempre, mas inventei de apertar seus números logo na culminância de seu mapa astral. Não duvido de que tenha sido na exata hora em que nasceu, quando Saturno belisca Júpiter.

Dói supor que ela atendeu com aquele ar misterioso de aniversariante, nem dizendo muito alô para não estragar a surpresa, controlando a respiração, sufocando as letras. Pois vivia um medo alegre, entendo; no aniversário, não conversamos, soletramos. Qualquer Silva é um nome estrangeiro.

Do outro lado da linha, ela planejava meus pulos, meus gritos de incentivo, meu arcadismo. E fui rápido, desconcertantemente seco, concretista, com pressa para pegar outro número de um conhecido em comum.

Por que não disquei um dia antes? A premonição é uma roleta-russa.

Ok, estava em São Paulo, o que me mantém um pouco desligado de Porto Alegre, mas tive sinais de que poderia encomendar o presente e me redimir em tempo hábil. Encontrei seu irmão Duda durante uma de minhas aulas. Não processei a informação:

Duda = Claudia = maio = aniversário

Talvez tenha ficado na segunda fase da operação. Vi seu livro *Louca por homens* na vitrine da Livraria da Vila. Não decifrei que era um telegrama para a delicadeza.

Ligar no aniversário, desconhecendo o aniversário, é um trote. Tudo é engano quando sabotamos a intimidade. O telefone deveria ser bloqueado para qualquer tema diferente. Não poderíamos receber cobrança, pressão do trabalho, muito menos linhas de crédito de banco.

Demorei tanto para comentar o que interessava que Claudia perdeu a esperança e desabafou que completava 47 anos. Triste, jurou que meu suspense era de propósito.

Veio a ânsia de bater o telefone na cara dela, coitada dela, coitado de mim. A vergonha me põe ofendido e aumenta a violência. Qualquer violência foi uma ternura desajeitada. A vergonha carrega nossa pior agressividade. Temos vontade de matar quem nos flagrou em erro. Só murmurei:

— Já ligo de novo.

Lavei a cara, tirei os três dedos de espuma da testa e orquestrei a voz:

— Feliz Aniversário!!!!

Fui mais ridículo do que quando não recordava. No segundo telefonema, não tinha mais o que dizer, a não ser soprar seus ouvidos. Soprar bem forte.

DE CABEÇA PARA BAIXO

Só lembramos quando vivemos de novo.

A lembrança não dirige, toma carona.

Limpei a gola do abrigo do filho Vicente na saída da escola. Reluzia uma mancha branca perto do zíper. Ingênua espuma da pasta de dente. A escovação apressada para não perder o sino de manhãzinha, natural estar ali, ressequida depois da aula. Um giz de cera dos dentes. Tantas vezes estudei com círculos polares no uniforme. No almoço, minha mãe raspava com sua unha vermelha e dizia: "Vamos arrumar esse homenzinho? Vamos?"

Homenzinho? Eu gostava de ser homenzinho. Nunca me chamavam de menino, de piá, de guri, mas de homenzinho. Eu me sentia tão homem como homenzinho. Armava caretas para firmar compromisso. Evitava rir; rir apenas me rejuvenescia. Concentrava-me para irradiar uma cara séria, com cenho franzido. Imitava meu tio Otávio, que fumava cachimbo.

Nunca estamos na idade que desejamos. E tememos o que os outros vão pensar da gente. E tememos mais o que pensamos dos outros.

No aeroporto, entre uma de tantas viagens, chamou minha atenção um executivo nos arredores do banheiro. Com uma pasta de couro na mão esquerda e uma boneca na mão direita. Deveria esperar a filha de seis ou sete anos. Se sua criança fosse pequena, levaria ao banheiro masculino. Eu experimentei igual crise de paternidade, recordo dos meus momentos com Mariana antes dos quatro anos, queria conduzi-la ao toalete feminino, muito mais limpo, mas a etiqueta não permitia. Ela teve que sobreviver à porqueira do chão e papéis espalhados. Tomara que não guarde trauma.

Absolutamente engravatado, com terno alinhado, o empresário (ou sei lá o que representava) nem ciscava os lados, mirava fixamente a porta, torcendo para que sua menina viesse rápido. O que me intrigou é que ele segurava a boneca displicente, para provar a quem passava que não era dele. Como se alguém fosse sonhar que era dele! Suas orelhas ferviam, brotoejas cercavam sua barba, cabelos brancos procuravam caminhos na raiz.

A boneca o incomodava severamente. Amargava a possibilidade de encontrar algum amigo. Pagava mico em sua imaginação, como um estagiário em seu primeiro dia no emprego.

Seu constrangimento revelava o absurdo de segurar a boneca de cabeça para baixo, pelas pernas. Fazia ioiô com o bebê de borracha. Um bungee-jump dos contos de fadas.

Para avisar que não tinha nada com aquilo. Deixar claro seu distanciamento com a cor rosa e derivados.

Cuidava para não oferecer ternura. Rígido, com pinos no lugar dos ossos. Precisava manter os punhos cerrados, não apertar o vestido; poderia existir um botão capaz de acionar choro, xixi, miado ou cantorias. Boneca moderna é um carro de som.

Longe de qualquer operação afetuosa, mergulhava no transe da continência militar. (Imagina se solta uma carícia involuntária e acaba denunciando que brincava de boneca quando pequeno?)

Não se sujeitaria a pentear a juba do brinquedo, muito menos ajeitar o leve corpo nos cotovelos. Naquele cruzamento de olhares, um berço de dedos custaria caro. Talvez o cargo, talvez a fama. Porque, se desse colo, indicaria um pertencimento e forneceria margem para enganos. Não aceitava que fosse confundido. Sua reputação estava em jogo. O que julgava ser sua reputação.

Quando sua filha voltou do banheiro, parou desapontada na sua frente:

— Você está mostrando a calcinha da minha filha para todo mundo, nem parece que é meu pai.

Esconder o vexame sempre foi o maior vexame.

ABRINDO A TORNEIRA COM OS PÉS

Faço fiado com os olhos.

Sempre estou devendo para alguém um olhar que não devolvi.

Ou não paguei. Ou, entretido com ele, levei sem avisar.

Depois de um tenso inverno, tive a trégua do sol. Reencontrei meu corpo com bermudas e camisetas. Reencontrei o que sobrou do meu corpo.

Na casa dos amigos Diana e Mário, vi sua filha de catorze anos, Júlia, abrindo a torneira com os pés. Divinamente com os dedos dos pés. Sem encarar o resultado. Como se fosse uma aula de balé. Não procurava a água por um espelho, procurava a água pela distorção.

A unha, sua sapatilha. A unha colorida a dobrar as dificuldades.

Aquilo me bastou para o final de semana. A firmeza de usar os dedos dos pés com a flexão das mãos. O giro certo para a água correr desesperada, tossindo de tanta ânsia por sair.

A menina nem teve noção do que gerou em mim. Eu ia concluindo que não permiti escolaridade a meus pés. Não deixei frequentarem cadernos e estudo. Cometi exploração infantil com eles.

Logo os pés, que não descansam nos bolsos. Logo os pés, que exigem que todo o corpo participe do gesto — diferente das mãos, egoístas e solitárias.

Logo os pés. Eles abrem e encerram o meu dia. Só chego em casa quando tiro os sapatos. Só acordo quando coloco os sapatos.

Logo os pés, que me obrigam a me ajoelhar para amarrar os cadarços e rezar na rua sem nenhum Deus esperando.

Os pés, tão pouco sei deles, a não ser no momento em que doem.

COZINHA MEDITERRÂNEA

Deliramos que a faxineira não tem fome e que deve esperar. É uma bagagem escravagista extraviada em nossa cozinha.

Não valorizamos sua refeição, fingimos que ela não existe. Revela um ranço amoroso, como se a criatura fosse um bicho, uma verdura, um aspirador de pó. Imagino que seja uma maneira velada de reclamar do valor que pagamos e das passagens oferecidas uma vez por semana. A avareza despontará nos itens mais básicos. Coisa de homem que não economiza para comprar um carro último modelo e reclama do preço do papel higiênico.

Concluímos que a faxina já está cara e que ela agora se vire sozinha, só o que faltava se preocupar com seu estômago.

Costumamos pensar que qualquer coisa serve, que ela pode se contentar com a comida requentada de dois dias atrás. Ainda forjamos um falso despojamento, dizendo para apanhar o que quiser da geladeira, mesmo sabendo que está vazia.

O que não pretendemos é nos incomodar com o assunto.

E toda faxineira percebe a exclusão. Come depois, quietinha, escondida, soprando o feijão quente como um anjo nos ouvidos de um suicida.

Desconfio que a indiferença represente um castigo porque ela conheceu nossa sujeira. Uma espécie de raiva involuntária, para logo se livrar do relatório doméstico e do que enxergou dos nossos hábitos. Inventamos uma discriminação muda, que não gera abaixo-assinado, processo e protestos.

O desconforto com as faxineiras aumenta quando me encontro com Paulo Scott, dono de uma maneira peculiar de lidar com a figura. Na realidade, um tratamento insuportável. Quisera ser igual. Cultivo raiva enciumada.

O cabra não está interessado na divisão de classes, nunca leu Marx e Engels para sua horta. Espera ansiosamente quarta-feira, o dia da limpeza, que apenas não é fatídico para ele.

Não foge da vassoura, tampouco se irrita com as cadeiras viradas e os tapetes estendidos. Nada atrapalha suas vontades marinhas e disposição de rede. Segue sua rotina, com o ânimo exaltado. Alheio à confusão, prepara tábuas, afia facas, põe o avental e se entrega ao chiado das bocas do fogão, após peregrinar pela feira do peixe de manhã cedo.

Cria um ambiente afrodisíaco, mediterrâneo. Com flores, candelabros e bandejas, arma a volúpia de restaurante na sala de estar. O romantismo acanalhado indica que receberá a namorada, num golpe fatal da sedução. Mas não há namorada. Aquilo tudo é para sua faxineira.

Tudo.

(Antes que conclua bobagem, meu amigo não cursa gastronomia e testa cobaias, sequer odeia a solidão e comer desacompanhado. Muito menos guarda segundas intencões com Nausira, que tem a idade de sua mãe.)

Ele grita às treze horas em ponto:

— Posso servir?

Ela interrompe o serviço, lava as mãos e senta com o guardanapo de pano nos joelhos.

Vem sendo um ano inteiro de pratos especiais: sardinhas assadas à moda portuguesa, preparadas com alho, pimenta e azeite e o indispensável limão espremido, ou risoto de salmão com alcaparras, acompanhado de Salada Caprese e de um vinho branco.

O pecado é que sobram para Nausira a louça empilhada e a imensa sujeira na pia e no chão. A generosidade sempre tem um pretexto.

PELO BEM DE SUA MEMÓRIA

Se um familiar ou um amigo morre, não vou elogiá-lo. Não me peça para fazer discurso ou poema. Não me peça nada. Nem que eu resista e que não sofra. Sou imprevisível. Toda perda é imprevisível, apesar do pessimismo ensaiado. Posso ser forte e insensível, posso ser fraco e derramado. Meu temperamento terá mais a ver com o morto do que comigo. Não irei combinar as meias com os sapatos e não lembrarei a camisa no dia seguinte.

Cansam-me enterros pela encenação. Quem é contido ao pé do túmulo não viveu com o morto. Inventou o morto. A saudade inventa. Cria afinidades e lembranças para ganhar importância de testemunha.

Já tive amigos que falavam que redescobriram o pai ou a mãe. Mas não se descobre ninguém depois de morto, descobre-se o que não é mais, o que não será. Há gente que nunca vai admitir, mas se tranquiliza com o fim de um parente. Esperava com ardência, torcia, ruminava em segredo.

Na hora da reza, pressente um contentamento. Por detrás dos pêsames e das palavras poucas, corre um alívio. Ao lançar o punhado de terra, percebe que a vida recomeça com a partida do fardo. Festeja por dentro a distância. Agora está leve perante a ausência de futuras explicações. Está alegre e não confessa. Não suportava mais a convivência, porém nunca anunciou o fracasso dos laços.

Seria muito mais honesto se separar em vida do que pela morte, afastar-se do pai ou da mãe enquanto é tempo, por motivos claros e conscientes do que manter o ódio silencioso enferrujando os pregos do caixão. A morte não cura desavenças. A morte salva a aparência de quem fica. Homenageamos o finado para mostrar que somos um bom filho, um bom marido, um bom amigo.

Procuramos a reverência para não ferir nossa imagem. Completamos a maquiagem mortuária com nossas sombras. Preservamos um pudor incompreensível.

Não se ofende o morto de modo nenhum, nem que tenha nos maltratado até a exaustão. Guardamos um respeito ecumênico, não afirmando aquilo que, no fundo, pretendíamos: ele não prestava e se foi tarde.

Não é por pena, não é por medo de assombração; é por oportunismo. Usamos a morte do outro para nos melhorar. É quase como roubar uma loja aproveitando a depredação.

Verei muita gente chorando no velório porque velório é para chorar. Não significa que sentem muito.

É tão desumano mentir na despedida.

O luto mesmo destrinchará os piores insultos, reclamará pavorosamente das mesquinharias, da ausência de gentileza e de compreensão nos últimos meses.

O abandonado mesmo é capaz de rasgar a camisa do morto, arrancar o sapato, cuspir no rosto, morder as mãos frias para arrancar os anéis e roer as unhas indefesas.

Brigará com toda razão e desrazão. Com palavrões fortes e pichações de banheiro. Andará como uma viatura pedindo passagem, atropelando qualquer um que surgir pela frente.

O amor finito traz o escândalo, a confissão intragável; saia de perto!

A indelicadeza é carregada de verdades.

RIMA LABIAL

Quando minha mulher toma iogurte, não aceita que acabou.

Raspa a superfície com a colher, gira pelos contornos, arremata as sobras da tampa. Confesso que me enerva um pouco, como alguém pressionando o botãozinho da caneta sem parar.

Sua investigação não termina com os dedos. Coloca sua pupila no interior da embalagem, tal luneta. Faz um bigode nos cílios. Sua aproximação é extravagante. Já temo que vá diminuir e sumirá de repente pelas bordas.

Ela não confia na aparência, precisa conferir; olhar por dentro à procura de um fundo falso. Toda manhã é igual. Nem com parede de plástico se aquieta. Continua fuçando.

O que me põe a concluir que Cínthya é muito diferente de mim. Incrédula. Totalmente cética. Ardo de ansiedade, e ela esfria a conversa em desconfiança. Estarei constantemente me antecipando, e ela compreenderá a antecipação como cobrança.

Não tem jeito, Cínthya odeia ser pressionada, eu odeio que não me dê resposta na hora. Qualquer ato de delicadeza e entra em pânico, prevendo meu controle da retribuição. Qualquer indelicadeza e entro em pânico, com medo de sua incompreensão.

Mesmo quando reajo impulsivo, articula uma lógica maldosa. Ela me considera tão maquiavélico que me sinto ingênuo.

Não se entregam fácil essas mulheres de Constantina. Ela não deseja nem ficar muito junto para não sofrer. Supõe que será enganada. Seu modo de se defender é me espantar. Às vezes, consegue.

Diz que não sou o centro do seu mundo; pois não entende que não quero ser o centro do seu mundo, e sim seu bairro mais populoso.

Chega a afirmar que tento dominá-la, imagina?

Pior que é verdade, tento dominá-la, mas com toda elegância.

Sabe o que me irrita sinceramente no iogurte? Dificilmente ela concorda comigo, obcecada em preservar sua independência. Existem momentos que nem eu concordo; sem problema. Mas sempre? É demais, não consigo respirar, volta minha asma. Vejo que estou puxando a coberta para o meu lado, a cena pode significar o contrário.

Talvez raspe a tampa e analise o interior por excesso de esperança. É como se me admirasse do outro lado reparando em sua rima labial.

Vem a sensação de que ela seria a minha letra, se escrevesse com a mão esquerda. Não se contenta com o que é permitido, intensifica o barulho da colher como uma extensão dos dentes, disposta a desafiar os limites e provar que os contrários se completam.

Será?

Ao pegar a embalagem e botar no lixo, acho que não é nada disso, viajei novamente.

Encontro chateação onde aparece somente fome. E o que ela gostaria era de repetir o pote, sem nenhuma filosofia.

NO MEIO DE TUDO

No guichê da companhia aérea, sempre avanço sobre o computador do atendente, espichando o queixo e exigindo:

— Corredor ou janela, não me deixe no meio, não quero o meio, abomino o meio.

O funcionário explicou que reservaria o lugar desejado, sem problema, que me acalmasse. Com a emissão do bilhete, terminou minha principal ansiedade, o corpo já deslizava com rodinhas para a sala de embarque.

Demonstro preconceito mesmo com a localização, uma exigência pessoal em cada partida, tão importante quanto lembrar em acumular as milhagens no cartão.

O meio é o inferno do céu. Para quem viaja excessivamente como eu, é humilhante ficar prensado entre um que dorme e o outro que também dorme, desconhecidos prestes a desabar em meus ombros e fazer gargarejo do ar refrigerado. Comprovado cientificamente que o passageiro encurralado entre as pontas é incapaz de cochilar. Atordoado como uma babá cuidando de gêmeos. Sofre de hipertensão arterial, encolhido, cacto na chuva, pronto a se defender dos lapsos dos seus vizinhos. Não poderá se mexer durante as longas horas do trajeto, muito menos trocar de livro e buscar seu laptop. Ou ele pega tudo de que necessita no momento em que entra, ou esquece, inútil mudar de ideia. Até para mijar, pensará como acordar seus obstáculos. A voz do comandante é a única abertura com o andamento da viagem.

No voo, descubro que fui enganado. Não havia meio, mas duas poltronas. Eu me vi lesado. Sem alguém pior do que eu, não estou melhor. A janela ou o corredor perdem importância. Precisava zombar de quem não conseguiria colocar o braço nos apoios, de quem sofreria a sensação interminável de sequestro, esmagado como um guarda-sol na garagem.

Aquela empresa estragou o luxo da comparação, arruinou minha brincadeira sádica, pôs abaixo a subdivisão de classe que existe na ala econômica. O meio era a chance de tirar leve vantagem na pobreza.

No corredor sem meio, estava duas vezes no meio. Representava ainda a metade que faltava.

Se estivesse acompanhado da esposa, festejaria o formato: extremamente adequado, romântico, propício para preparar cabana e puxar o edredom. Sozinho, impossível gostar. Parecia que formava um casal com um barbudo anônimo, de óculos e franjas retrô. Parecia amizade forçada por professora. Parecia um encontro arranjado por agência. Parecia um casamento por dote.

Eu e ele formando uma fileira inteira, independente, um encontro às escuras. Uma improvável mesa para dois no bandejão universitário. É muita intimidade para se dedicar a um lado só. Com três passageiros em bloco, é trabalho em grupo, a privacidade sobrevive. Dá para variar o pescoço. Com dois, é torcicolo, tarefa em dupla, chega a ser desconfortável não puxar conversa e não segurar o refrigerante para o repentino colega.

Tomo algumas precauções. Recuso o amendoim — não posso facilitar.

COMO O HOMEM E A MULHER FALAM QUE BATERAM O CARRO

— Amor?

— O quê, como está o passeio, gostando?

— É que eu passei pelo Parcão, está um dia ensolarado, lindo mesmo, muitas crianças brincando, uma alegria de árvore balançando, pena que não veio, conversava com as amigas sobre a importância do bigode na construção de ditadores. Sem bigode, o homem deixa de ser tirano, não concorda?

— Concordo, há exceções barbudas, mas a barba não deixa de ser um falso bigode... Mas qual o problema?

— E também descobri que cachorro tem olhar de mendigo e gato de voluntário de uma ONG.

— Hahaha, só você para pensar isso.

— Entrei de volta no carro e tomei a Hilário Ribeiro, a Luciana de Abreu, tentei colocar Vitor Ramil no CD novo, falava e tentava encaixar o CD e segurar o volante....

— O que houve?

— Eu me distraí um pouco e lembrava o Puppi Baggio, o restaurante em que nos conhecemos, aquele em que pediu a garrafa mais cara da adega para me impressionar. Depois que o garçom abriu e tu provou os R$ 500 de sua conta, eu contei que não bebia.

— Hahaha, é verdade, a gente somente passa a amar quando os sonhos improvisam e mudam os planos.

— É isso que eu desejava falar, amor.

— O quê?

— Eu bati o carro!

* * *

— Amor?

— Sim, tá chegando?

— Não, bati o carro. Vou resolver aqui e depois conto.

* * *

Não sei o que é pior, a preliminar feminina para dizer que bateu o carro ou o jeitão direto e seco masculino que não explica mais nada e abandona o familiar com o coração na mão e o tutututu da chamada desligada.

A PRINCESA E O SAPO

Sou fascinado por experimentar roupas. Ainda procuro alguma peça que seja alquímica, ainda suspiro por um tecido que me beije e me transforme de sapo em príncipe.

Entendo as mulheres que caçam o jeans perfeito ou a blusa de sua vida. Sou igual: aceito meu corpo devagar. Não tenho interesse em mudar minha nudez, mas me acomodar dentro dela.

Se houvesse alguma rústica dentro das ruas de um shopping, seria o favorito disparado. Demoro muito. Não tomo banho de loja, é caldinho. Saco em todo momento expressões para acalmar minha namorada ou filhos: "Deixa espiar" ou "Só um minuto". Vitrines não são de vidro, são de vento. Entro em cada uma delas com um sopro.

Arrasto qualquer um que me acompanhe para cumprir meus objetivos. A dificuldade é que não saio de casa com objetivos definidos (uma calça ou um terno), desvendarei na hora as promoções e criarei necessidades súbitas. Mentirei que achei uma oferta imperdível, que nunca aconteceu um preço igual, que não existe como abrir o guarda-roupa se não levar aquela camisa. Meu desejo mente, não sou eu. Eu me vejo como um cleptomaníaco que rouba de si — cansei de vigiar os desfalques.

Sofro, portanto, pelos homens que são carregadores de bolsas nas viagens às lojas. Há muito tempo deixei de cumprir esse papel deprimente e submisso. Aceito transportar o tíquete do estacionamento, e mais nada.

Alegam que estão sendo enganados. Não se conscientizaram de que estão sendo mesmo enganados.

Eles precisariam relaxar. Não assimilaram o processo histórico apesar da insistência, da reincidência, das repetições quinzenais. "Vamos dar uma volta?" significa retornar no dia seguinte. Significa atravessar quarteirões e quarteirões de manequins até surgirem bolhas nos pés.

A resistência somente aumenta o passeio e a curiosidade feminina. É mostrar indisposição que a mulher fica mais excitada. Mais impulsiva. Mais indomável.

Os namorados e maridos são previsíveis em sua tristeza. Coaxar, para quê? Mal atravessam a porta e perseguem o primeiro banco alto para sentar. Não soltam uma única risada odontológica. Cruzam os braços e insistem em baixar o rosto. Incorporam leões de chácara, vigias, seguranças — trabalham de graça para os lojistas. Não mexem em nenhum dos cabides, não mostram interesse. Desprezam a beleza das atendentes por teimosia, sacrificando a simpatia de rostos harmoniosamente pintados. Acenam afirmativamente diante dos provadores e não opinam mais do que um lindo sobre as roupas.

Aqueles homens são crianças mimadas, contrariadas, emburradas. Dos pais, herdaram a resignação do castigo. Não aproveitam o momento, anulam as preciosas horas de seu expediente amoroso em nome do orgulho.

Poderiam soltar a franga, testar novos modelos, desfrutar da imprevisibilidade cômica.

Caso entrassem em surto consumista, sua mulher raciocinaria duas vezes antes de convidá-lo para as compras. Não é viável um casal com dois gastadores. Deveriam enlouquecer e provar as gravatas disponíveis e pedir para sua companhia fazer o nó. Ou por que não se aproximar do balcão e fingir que é um bar? Solicitar café, água gelada e biscoitos, olha que delícia, sem nenhuma conta ao final. Ao invés de ser puxado, tomar dianteira e anunciar: quero que veja uma loja imperdível de sapatos. Ela se assustará, ela temerá sua alma feminina. Cinderela odeia concorrência.

A FÓRMULA DE BHASKARA

Carlinhos descobriu a Fórmula de Bhaskara do casamento. A resposta resolveria mais do que terapia, do que dança de salão, do que compras num shopping. E não traria custo. Desejou patentear o cálculo, mas não queria lucrar com uma ideia tão pura.

Estava na cara e ninguém teve a coragem de dizer. O óbvio é para os corajosos.

A receita transformaria a convivência numa eterna lua de mel. Eis o achado: anotar na agenda os compromissos de beleza da esposa.

Traria o alívio depois de vinte anos sendo cobrado por não acertar o que havia de diferente em Consuelo. Só não errava a depilação, o que, convenhamos, não merece elogio.

Teve o estalo quando assistia a Caxias e São José, semifinal do Campeonato Gaúcho.

"Quem não consegue observar que aprenda a lembrar."

A frase surgiu em sua cabeça do nada, não poderia ter sido o locutor. Ele se reconheceu absurdamente inteligente, a ponto de criar outra teoria: quanto pior o jogo, melhor o pensamento.

Com o método em prática, seria eleito o marido do ano. Perguntaria de manhã o que ela programara durante o dia e repassaria tudo ao iPhone: manicure/pedicure/sobrancelhas/cabelos. De noite, usaria a informação privilegiada a seu favor, como se não fosse importante. Todo homem perfeito é, no fundo, uma secretária.

Na cama, tomou a mão dela e disse:

— Que unhas caprichadas, ótima a cor.

— Como você percebeu?

— Não precisa muito, é apenas reparar.

(Quando o homem se diminui é que está se sentindo o máximo.)

No jantar, acariciou a franja dela e disse:

— É uma diferença uma sobrancelha bem-feita. Abre o rosto.

— Mesmo? Eu arrumei hoje, incrível que tenha notado.

— Como que não? Olho tudo em você.

(Quando o homem se engrandece é que está enganando.)

As observações renderam um aumento de 30% na vida sexual e redução em 50% das implicâncias dentro do carro.

Os dois já programavam viagem para Bariloche; experimentavam, de novo, aquela atenção integral de apaixonados.

Mas Carlinhos acabou traído pela casualidade. Consuelo avisou, logo cedo, que não sobraria tempo para almoçar: "O cabeleireiro tem somente horário ao meio-dia".

Festivo, registrou em sua plataforma implacável: corte de cabelo!

Enfrentaria o grande exame clínico do amor. Ao voltar do trabalho, encontrou sua mulher no sofá assistindo à televisão.

Olhou uma, duas, três vezes, e gritou:

— Que linda!

— O quê? — ela ficou assustada.

— Maravilhosa! Dez anos mais jovem!

— O quê? — ela entrou em aflição.

— Seu cabelo, o chanel perfeito!

— Eu não cortei.

Carlinhos jurava que uma mulher nunca desmarcaria o cabeleireiro. Seria capaz de abandonar noivo no altar, de jeito nenhum deixar cabeleireiro esperando. Não contava com essa infidelidade. Suspirou. Não existiam mais papéis fixos no mundo, nem dentro de casa.

PESSOA PREDILETA

Sou barman da memória.

Misturo as bebidas, as lembranças e giro de um lado para o outro tentando entender. Dependendo do que vejo, sou capaz de dançar.

Minha primeira vez com a Cínthya, não recordo o que tomei, nunca consegui repetir. Permaneço com ela somente para descobrir a receita. É mentira, já estou brincando porque estou emocionado. Costumo fazer isso: brincar quando estou nervoso, brincar quando estou desesperado, brincar quando estou angustiado, o que me torna um homem aparentemente bem-humorado. Se não fosse minha cultura, dançaria sertanejo. E sertanejo universitário, para mostrar com que copo derramado você vem conversando.

Não desejava amar de novo. Acabava de me separar. Experimentava um pavor corajoso, o mesmo que sentia de pequeno, quando tinha que atravessar o pátio escuro correndo, correndo acelerado, para buscar a bola abandonada na grama.

Fui trocar prosa fiada com um grande amigo no bar. Mandei um torpedo antes para Cínthya, de quem somente conhecia a voz ao telefone, avisando que estaria no Apolinário. Ela desenhou camisas com minhas crônicas. Um trabalho artesanal para oferecer de presente aos amigos.

Ela veio em quinze minutos, meu amigo não acompanhou o relâmpago. Imaginei que conversaria com uma fã, alguém que gostava do meu estilo, que inflamaria a vaidade. Mas não. A gente começou a discutir, a ponto de fazer uma queda de olhos mais do que de braço.

O amigo se isolou, assistia ao entrave como a uma partida de tênis, cuidando os arremessos na marca. Logo desistiu e pagou sua parte na conta.

Não que ela fosse truculenta. Pelo contrário, educada e delicada, tomada de uma fragilidade de quem prende a respiração e tira vidro da pele. Havia uma leveza em seus cabelos, um vento próprio; a impressão é que andava com um pajem em suas costas. Vá que seu anjo seja um pajem.

Luminosa, aérea, linda em seu despojamento, percebia nela uma pobreza de paraíso. Ela era toda essencial, não se conseguia roubar coisa alguma de seu temperamento. Não usava nenhum vestido, não apareceu produzida, estava de jeans e uma camisa básica, sem pintura. Como se fosse descer para pegar uma carta em seu edifício. Não me concedeu importâncias de visita.

Aquele primeiro encontro é incompreensível mesmo. Não criamos nenhuma cumplicidade imediata, nenhuma sintonia evidente; cortejamos o deboche. Os garçons não diriam que ficaríamos juntos, apostavam 3 por 1 que não sairíamos no mesmo carro. Nem nós. O destino escreve rápido e esconde a folha. Mudo a cena, viro de cabeça para baixo e não capturo o que nos aproximou. Por quê?

Talvez o riso dela, que aumentava a altura do teto. Talvez a boca límpida, que não sobrava em nenhuma palavra. Ou sua capacidade de se devotar a cada frase com "o quê?" como se não houvesse escutado para ganhar tempo do revide.

Ela foi lavar as mãos e me aproximei e passei a lavar seus braços, seu rosto, a ensaboá-la, nem pensando em como receberia meu gesto, se me afastaria com violência ou aceitaria mansamente a minha loucura. Naquela hora, eu queria dar banho nela. Naquela hora, esqueci o lugar. Esqueci que estava cheio. E beijá-la era beijar sua pálpebra por dentro.

Somos tão diferentes e tão apaixonados. Ela tem disciplina, eu tenho obsessões. Eu guardo minhas culpas no desejo e distribuo desculpas. Ela odeia culpa e não perdoa. Sou alucinado por casamento, ela jura que é cativeiro. Cansamos com frequência, não aceitamos fácil um ponto de vista, não falamos amém para uma teoria ou uma descoberta, o que é estranho para mim depois de imprevisíveis metáforas. Convivemos com réplica, tréplica, uma curiosidade infinita pelo avesso. Não convivemos com o suspiro, porém com o soluço. O soluço é o nosso suspiro. O soluço é o suspiro da discussão.

Ela tem um medo assombroso de mim, do quanto posso feri-la. Eu tenho um medo danado dela, porque é bem capaz de viver sem mim. A linda cretina nunca disse que não vive sem mim, acredita?

O amor dela é tranquilo, imutável, o meu é para agora, renovável. Ai se ela não demonstra apego numa tarde, mergulho em surto. Ela não depende de juras e declarações, está bem assim, cercada de um silêncio atento, sabendo que a amo. Quando preciso dela, ela supõe que é drama e mais uma artimanha para ser o centro dos acontecimentos. Quando ela precisa de mim, eu deduzo que ela procura se afastar e perdeu o interesse. Já brigamos no carro, no elevador, no shopping, acordamos vizinhos, assustamos os donos e seus cães na rua e insistimos e nos perdoamos porque somos tão apaixonados.

Existem enigmas guardados na pequena mesa de um bar da Cidade Baixa. O enigma é o futuro do segredo. Muito mais do que poderia beber naquela noite. Muito mais do que poderia conservar numa vida. Muito mais do que possuo condições de antecipar pela minha ansiedade.

A esperança pode vencer a experiência. A esperança é uma experiência.

ACÁCIA OU EUCALIPTO?

Para o amigo Gabriel

Não adianta ser fiel ao outro se a gente não é fiel a si. Mas não é simples assim: arenoso descobrir a nossa própria natureza e aceitá-la. Conhecer-me significa também não gostar daquilo que sou e ter que passar o resto da vida ao meu lado.

Até hoje eu só me amei por amor platônico. Nunca tive coragem de me aproximar. Escrevia cartas, fazia elogios, me criticava, mas sempre controlado, contido, parava quando me julgava ameaçado.

Não subestimo a força do engano. Talvez seja leal ao que meu pai queria ou ao que a minha mãe desejava ou ao que jurei ser a melhor solução para conseguir aprovação da turma. Quem diz que não gastei uma vida inteira para atender aos anseios dos demais e ainda não descobri as minhas ambições? Quem diz que não segui escrevendo porque um dia a maldita professora da 4ª série me chamou de escritor e não gostaria de decepcioná-la, muito menos ofender sua intuição?

Minha voz não é aquela que eu escuto. Meu rosto no espelho não é aquele que as pessoas enxergam. Meu beijo não está na minha boca.

Posso ser generoso pelo egoísmo. Posso ser amoroso pela tirania. Posso ser educado pela vergonha. Vê só o quanto uma virtude esconde uma maldade. Eu sou o resultado ou a origem daquilo que cumpro? O que tem peso maior: minha vontade ou o ato?

Ao me doar para uma mulher, não desfruto de condições para prometer coisa nenhuma, pois nem defini o que eu mesmo me ofereço.

De repente, vou me trair e ser fiel no casamento. Ou trair uma relação e ser fiel a mim. Antes deveria cuidar de ser monogâmico comigo.

Viajava pelo interior do Rio Grande do Sul, com o rosto cochilando na vidraça do ônibus. De música de fundo, escutava histórias de boiadeiros sobre acácia e o eucalipto, um grande dilema das plantações. Ao escolher a acácia, é natural deixar o gado debaixo das árvores. Ao plantar eucalipto, não haverá terreno propício ao pasto, ele é arrogante, absorve a água dos arredores, elimina a concorrência e suga a terra com gula.

Diante do impasse, logo problematizei: sou acácia ou eucalipto?

A acácia se oferece inteira, é mais familiar, caseira, procura um ideal de família e casa, transmuda-se em telhado e alimento aos animais. É recomendada pela sua renúncia, admirada pelo sacrifício voluntarioso. Quanto mais se anula mais aparece. Ampara o amadurecimento do conjunto, socorre carências. Em compensação, dura menos, de 7 a 10 anos. E não sobe muito, tem uma altura própria para recolher as crianças em seus galhos. Ela abdica de grandes voos para acompanhar de perto os passos em sua folhagem.

O eucalipto é individualista, confiante, não se afeiçoa às carências do lugar, segue sozinho, desafia os próximos a obedecer seu ritmo, não irá recuar para confortar o solo e os bichos. Usa o que precisa, aproveita o contexto e se despede para o céu. Atinge uma altura muito superior à acácia e dura de 25 a 30 anos. Porta-se com o descaso de estrangeiro, como realmente é; um artista do vento, flautista das folhas, disposto a render um espetáculo e espalhar suas raízes para atrapalhar a soberania das pedras.

Previsível que todo mundo afirmará que é acácia. Para não frustrar a expectativa amorosa de entrega incondicional. Alguns, como eu, tratarão de pensar que são as duas opções, mas não é verdadeiro, tenho que escolher. Somente a renúncia permitirá que valorize o que ficou. No momento em que acumulo, não sou nada, não devo nada, não me é exigido nada. Sequer posso me trair.

CERA QUENTE

Casal feliz não tem amigos. Não tem testemunhas. Eu não caracterizaria de felicidade, é desinformação. Ninguém sabe da intimidade deles para definir o quanto estão ou não contentes.

Meu amor é brigado. Passa a imagem de tormenta, de crise, de luta, mas corresponde a uma convivência normal, de altos e baixos. Anormal é uma relação sem nenhuma anormalidade.

Não guardo pena de mim ou de minha namorada, mas dos amigos que seguram velas. Há sempre mais cera do que fogo.

Vivo pagando mico. Eles têm que suportar a bipolaridade do amor. Uma coisa é segurar a vela no início do namoro, outra é segurar o próprio bolo com a teimosinha acendendo e apagando a cada sopro ou vento da janela.

Num dia cinzento, ligo para chorar que me separei, cheira a uísque. Sou um suicida perigoso. Exijo cumplicidade, imunidade poética, obcecado em comprovar que não havia jeito de continuar. Falo mal à beça da namorada, destrato e subestimo o passado. Eles concordam.

No sol seguinte, fico condicionado a telefonar na maior desfaçatez e comunicar a reconciliação. É extremamente constrangedor. Contornei o que julgava irreparável, reabri o que anunciava como definitivo. Sou o salvador do suicida. Mudo o tom e a esperança. Falo bem à beça da namorada, elogio e exalto o futuro, reconheço o tanto que ela me apoia, descortino argumentos favoráveis e destaco a resistência da união e a mortalidade infantil das ameaças. Eles concordam.

Depois de publicar o retorno no Diário Oficial, eu me penitencio. Já estava na hora de entender: o par que apronta escândalo na despedida permanecerá casado. Perigosa é a separação seca, abrupta, cansada de explicações.

Às vezes, acho que não tenho que ceder, que amigo que é amigo providenciará um desconto e ouvirá a história pela enésima vez com o interesse da novidade. Na maior parte do tempo, acho que cometi bobagem e meus confidentes estão de saco cheio. Eu me afogo no raso. Talvez necessite mudar, vejo que engrandeço a vida a ponto de recusar uma mísera contrariedade e me vingo com o exagero.

A angústia é uma falsa urgência. Todo casal separado deveria não fazer absolutamente nada dentro do prazo de cinco dias. Não decidir movimentação alguma, permitir o corpo esfriar o desaforo, talvez entrar numa clínica ou num spa para desintoxicação vocabular.

O que acontece é cômico. Não transcorreu uma manhã do tumulto, vem uma sanha do remorso, uma conspiração maquiavélica a destruir os antecedentes. O amor se torna um crime impronunciável e mergulhamos numa mobilização desenfreada para limpar a memória, o computador e apagar as pistas. As fotos do Orkut são excluídas, as senhas trocadas, as telas de proteção e os porta-retratos desaparecem, os livros afrouxam a costura sem a página da dedicatória, as cartas recebem a visita do picotador de papel. Até o chaveirinho mimoso, comprado no Brique da Redenção, é removido da argola das chaves.

Quando os dois voltam, sacrificou-se metade da memória. É aquela flutuação de fantasma na primeira semana. Uma impressão de que somos facilmente substituíveis e descartáveis.

Não se conservou nem o número no celular e experimenta-se a perversidade de perguntar de novo. O que foi construído durante meses entra numa caixinha para a caridade.

Qualquer morto depende de 24 horas para ser enterrado. O mesmo é indicado aos relacionamentos. Confie na ressurreição, não apresse a cova; poderá ser apenas mais um buraco no jardim.

A EXCEÇÃO DO OLIMPO

Não há corpo fechado. Qualquer macho será bagaceiro por um motivo, ao palitar os dentes, ao arrotar alto ou ao cuspir na rua.

Meu desleixo monstruoso é manter uma carteira cheia no bolso de trás. Lembro uma saúva. Como se houvesse um rolo de meia amontoando o jeans.

Hábito que partiu da infância, onde colecionava os cartões de crédito vencidos da mãe e brincava de falência com os irmãos. Guardo a mínima coisa que recebo: tíquetes, carnês, recibos, guardanapos de amores platônicos.

Careço de conhecimentos praianos para desaparecer com o dinheiro nas pernas e mergulhar no mar. Se morasse no litoral, não estaria escrevendo. No Rio de Janeiro, vejo banhistas sempre pagando os biscoitos Globo sem retirar a bufunfa de nenhum acessório. Ou lá é a cidade do fiado ou a sunga é um porta-moedas.

De todos os modos de proteger os documentos, o que me incomoda é a capanga. Aquela carteira larga com uma cordinha de rádio de pilha. É meu pai andando na Riachuelo nos anos 1970. Combina com calça boca de sino, correntes no pescoço e cabelo de cesta de basquete.

Repare na coragem do seu dono; é uma bolsa atrofiada, uma bolsa escrotal doente.

Quem carrega a capanga não tem grana, muito menos graça. Nem tente assaltar. É tamanha cafonice que destrói a reputação do bandido.

A capanga parece uma cápsula ejetada da nave-mãe. A cordinha é o ó do borogodó. Eu enforco a fé na humanidade em seu terço desdentado. Melhor enlaçar o pulso com as fitas do Bonfim, que são coloridas e puxam o trio elétrico dos anéis.

Ainda mais danosa do que ela, somente a pochete. Não existe justificativa nem num pampa safári. É filha de uma relação proibida do alforje e da trouxa no Nordeste.

Forma a dupla de coleiras masculinas com a capanga. Atesta que o homem é masoquista e desfruta do prazer de ser chefiado. A pochete evoca um boi sendo puxado, é uma sela que vem com rédea. Aniquila com a virilidade braçal, mesmo que destinada a servir às crianças no passeio ao parque. É um autorama na cintura. Serve como almofada para a barriga. Imperdoável quando usada como cinto.

O desastre aumenta porque a ala masculina julga exibir sua praticidade. Alega que é possível carregar tudo. Tudo, menos a elegância. Oferece a visão de um boxeador fracassado, com seu cinturão de náilon.

Pois o que me transtornou numa manhã de março foi encontrar o professor Cláudio Moreno em minha rua. Eram oito horas da manhã, a luz não havia aberto seus camelôs, Paulo Coelho dormia nos montes Pireneus.

Moreno é um sinônimo de altivez vocabular e de português escorreito. Não vai errar a concordância sequer num palavrão. Duvido que fale um, por sinal. Ele descia a ladeira com a mulher Ana e seu cachorro branco. Até suas sobrancelhas estavam penteadas.

Maldito momento em que ele surgiu de foto inteira. Eu vi, eu vi uma pochete preta, exuberante, em sua cintura.

— Pô, professor, de pochete?

— Qual é o trauma?

— Você fica a mais inofensiva das criaturas. Não conheço deus grego que andasse de pochete.

— Está me estranhando?

— Só falta dizer que Afrodite e a Ana adoram.

Não respondeu, abriu fragorosamente o zíper e tirou uma faca imensa. Transformou-se em Ares, deus da guerra, ou Hades, deus da morte. Não me lembrava com exatidão de suas aulas.

— Nossa, professor, obrigado, tem colaborado para a segurança do bairro.

A conversa terminou naquele impasse, caminhei lentamente para casa. Muito cedo para correr no fio da navalha.

Proíbo, portanto, a pochete para todos, menos para Cláudio Moreno.

A PIOR INVENÇÃO DA HUMANIDADE

Eu tenho pouca compaixão; vejo que é uma emoção ruim, mesquinha, em que a gente sempre se sente melhor do que o outro. Não que me falte mesquinharias, mas não é o caso. Eu sou superior a raríssimas coisas. Uma delas é capinha de guarda-chuva.

Enxerguei a capa no estacionamento da universidade. Assemelhava-se a um estojo, o que mobilizou o arpão dos dedos.

Para agachar na minha idade, a curiosidade deve pagar o sacrifício. Não sobreviveria aos tempos da monarquia, onde toda vez em que o rei passava havia a obrigação de beijar o chão. Eu seria guilhotinado devido às câimbras.

Voltando à capa. O objeto atiçou a gula. Poderia conter lápis, canetas coloridas, apontador, borracha, uma escola inteira no pano. Já dividiria com os meus filhos e levaria uma lembrança para rechear as gavetas do escritório. Mas fui levantar, notei do que se tratava e repeli de volta, sinceramente frustrado. Disse que nojo, acentuando a agressividade da decepção, como se encontrasse um preservativo usado. Fui enganado, uma capinha! Ninguém no mundo irá levantar aquela capinha, a não ser que se confunda como eu.

Não duvido de que esteja repousando entre as vagas dos carros há um mês. Sequer um arqueólogo, daqui a dois mil anos, achará valor neste pertence. Largará os pincéis, concluindo que não recompensa o trabalho de escovação.

Depois da cerveja sem álcool, a pior invenção da humanidade é a capinha do guarda-chuva. Aposto que o energúmeno autor da façanha nem patenteou sua criação. É a mais ridícula. Uma embalagem canhestra. De natureza descartável para cobrir algo que já é descartável. Por que proteger justo aquilo que mais se perde na vida? Será que é para fingir que não esqueceremos o guarda-chuva no ônibus quando parar de chover? Ficaremos mais nobres? Ou será que confiamos que a classe média e baixa está separada pelo adereço? Será um brasão de camelô?

Não é prática tampouco. Assim que se usa a primeira vez, some sua serventia. Não há como enfiar o volume do pano e as varetas de volta para a escuridão do útero. É mais uma esperança do que uma realização. Não conheço um vivente que tenha conseguido. A cabeleira estará espetada, o cabo torto, pior do que enrolar headphone num bolo coeso e diminuto como o que saiu da loja. Não experimente, será um esforço em vão. Tão complicado quanto restaurar o hímen, o cabaço.

Mas a capinha é manhosa, não resistiria se não contasse com poderes especiais. Não representa um produto de fácil eliminação. Desperta a compaixão: não gostamos dela, porém não gostamos de nos desfazer dela. Traz um egoísmo, uma culpa educada. É como chiclete, acabou o sabor, não pretendemos sujar a rua e soar como porco, e forjamos sua queda involuntária.

Talvez manter a capinha seja preservar a ilusão de que o guarda-chuva é novo.

É a mesma angústia daquele que não se desvencilha do papel-presente porque acha bonito. No fim do ano, vai acumular uma papelaria no armário, faltando aniversário e amigos que atendam ao farto mostruário de estampas. Não tem sentido: quem guarda os papéis de embrulho é avarento e não costuma dar presentes com regularidade.

A capinha é a prova de que somos viciados na inutilidade, o que aumenta consideravelmente minha chance de ser feliz.

OS OLHOS SÃO COADJUVANTES

Repassarei um truque aos filhos. Como selecionar um brigadeiro. Nunca compre o doce enorme. Logo se imagina que aquilo deve ter uma latinha inteira de leite condensado.

Na prateleira, é o imperador das bandejas, o pai do quindim, com o formato achatado de capuz. Sua criança babará no balcão. Por favor, contenha o impulso dela.

Apesar da aparência lustrosa e crocante, coberta de granulado, é uma enganação. Todo chocólatra fareja que é falso. Não pode ser real. Ele vai durar para sempre porque é impossível comer. Na primeira mordida a arcada perderá seu fio. Procure um moleiro para recuperar a lâmina. É uma pasta com farinha. Até Taiwan seria mais caprichosa na pirataria.

O brigadeiro mais gostoso curiosamente é o pequeno, do tamanho de uma unha. Uma titica. A panelinha guarda lugar para mais dois. Não transmite nenhuma superioridade. Sozinho, não será localizado no mostruário, é uma formiga sendo carregada por uma folha. Depende de lupa, microscópio, pinça.

Mas é esse que fará você pagar o dobro e repetir à exaustão. A gana é obturar todos os dentes com seu conteúdo.

Com o minúsculo confeito, o desejo vem em caixa alta. Somente a língua trabalha, é quase líquido, desmancha no céu da boca e adoece o pensamento.

Portanto, repassarei também um conselho aos netos. Como duvidar do primeiro encontro. As estrelas não escrevem, unicamente brilham.

Ainda temos a expectativa de que ele teria que ser mágico, com efeitos especiais, relâmpagos, tremedeira, suor, frio na barriga. O corpo pescaria a clarividência, estaria certo do destino, pressentiria o casamento no primeiro toque, no primeiro beijo. Seria uma moleza, uma ejaculação precoce, uma tensão infindável. Abandonaríamos os compromissos pela certeza indomável das pupilas. Em madrugadas de lareira, o par esbaldaria aos amigos de que não houve hesitação, foi uma junção perfeita, um golpe de misericórdia no batimento cardíaco.

Já testemunhei amores avassaladores e cinematográficos que não duraram nem a manhã seguinte. O casal experimentou cenas de porta-retratos na cômoda, com todos os sintomas do cortejo romântico e idealizado: a música parou e as casualidades se moveram secretamente. E os dois não seguiram adiante, pois sequer se esforçaram.

O contato inicial pode ser uma droga, a pessoa irritar e bancar a arrogante, cometer grosserias e atazanar a paciência, e mesmo assim despertar a curiosidade. Nada mais promissor do que a confusão. A proximidade surgirá pela desconfiança, pelo desafio desagradável, pelas visitas diárias ao ódio, até o momento em que não falará de outra coisa senão dela. Expulsará lentamente os preconceitos e aceitará que não escolhemos o melhor, mas o necessário.

É a insistência que produz o amor, não o deslumbramento.

Paixão à primeira vista não existe com brigadeiro ou com mulheres. Mas cheiro à primeira vista é imbatível. A química não costuma falhar, desde que tenha tempo para misturar os ingredientes.

ESPÍRITO DO VIDRO

Brinquedo de verdade unicamente no aniversário e nas datas festivas.

Extravasava minha infância com brinquedos de mentira. Na época, criança significava o que havia de mais avançado em lixo reciclável. Acolhia produtos, potes e latas para criar cidades em miniatura e povoar minha imaginação. Tudo que acabava para os pais ressuscitava em minhas mãos. Não foi uma vez que a mãe me entregou uma embalagem de sabonete: "Olha que bonito, quer ficar?"

Eu ficava e embrulhava o olfato. Gostava de receber os frascos dos perfumes, minha oferenda predileta. Ainda mais que vinha o refil para borrifar, potente como uma pistola de piscina. Eu chegava a gastar o perfume paterno no ar para logo ganhar o recipiente. Apressava seu uso. Não existia banheiro mais cheiroso do que o nosso.

Sobrava um resto de fragrância, cerca de um milímetro dos cinquenta iniciais, justa a medida que o canudo não alcançava. Eu me encarregava de misturar com xampu e água. E passava no pescoço e nos pulsos para ir à escola. Confiava que tinha restaurado o conteúdo. Não me constrangia de ser só vapor. Transbordava a seco. Forçava as narinas a descobrir o espírito do vidro, a fingir que nada mudara desde a compra.

Mantinha uma caixa especial com os perfumes que nunca terminavam. Quando atingia a seca, recarregava da torneira e voltava a fingir pólen. Meu quarto era o free shop mais barato do mundo.

Acho que sou o igual na vida pessoal. Um pouco de cheiro e trato de encher o resto. Conservei a herança. Sofro muito diante de posturas secas e antirromânticas. Armo os olhos a surpreender e ser surpreendido, e depois sereno as frustrações.

Deliro que sou desnecessário; talvez seja. Incomoda-me a minha gula, o nível de exigência, já cogito que devo ser louco, daqueles perfis inclassificáveis, em que a carreira não é mais importante do que o namoro. Posso aguentar a semana inteira trabalhando, desde que partilhe um final de semana de juras mútuas. Não pretendo descansar, e sim trabalhar a delicadeza. Se fosse para estar sozinho, não pagava a pensão e terminava preso.

O que me comove são os programas em comum: assuntar coladinho, despistando os problemas e repetindo as declarações óbvias por todo sábado e domingo. Sou um retardado afetivo, que me diga que me ama sem parar. Pelo menos, não conheci um retardado acabrunhado.

Não vejo maior arrebatamento do que alguém perguntando o que desejo fazer. Curtir a sequência de agrados até dormir com profunda nostalgia e levantar com desgosto diante do alarme. Quem não acorda ranzinza na segunda-feira não foi feliz no final de semana.

Mas o relacionamento está em baixa. Permitimos a companhia desde que nosso par não invente de existir e atrapalhar.

Somos capazes de nos dedicar mais aos amigos do que à própria mulher. Nem percebemos, são distrações imaginárias. Se surge uma fresta de duas horas no serviço, não ventilamos a possibilidade de telefonar para a namorada e convidá-la repentinamente ao cinema ou a um motel. Geramos tarefas nas tarefas para justificar o tempo tomado. A indiferença é involuntária, até moderna, charmosa, atraente. Tenho consciência do meu perecimento, exalo antiguidade, ando curvado sobre a vaidade como um animal pré-histórico. O individualismo é apelidado de independência, e qualquer um que ameaçá-lo será comparado a Fidel. Ninguém mais confessa que se vestiu para o outro, por exemplo. A gente diz que se veste para nos agradar, e pronto, que se dane o mundo.

Eu acredito sinceramente que, ao morrer, não terá sido em vão se minha mulher confessar que não houve quem a divertisse tanto. É mais uma crença idiota.

Meu perfume acaba e abasteço o pote novamente. Só eu sei que é água. Mesmo dentro do relacionamento, grande parte do amor permanece platônico.

BEIJO MULTIMÍDIA

O amor ensina o óbvio. É o que eu mais gosto de aprender.

Nem sempre mereço atenção. As crianças têm o direito de serem tolas, por isso são mais sábias.

Minha namorada narrava as diferenças entre o PlayStation e o Nintendo Wii, e mencionou a expressão device. Eu nunca descobri o significado. No passado, utilizei o termo pela intuição, coitado de quem me ouviu.

— O que é?

— Está brincando?

— Não sei, o que é?

— Para de gozação!

Admiti que conhecia, pois estava ficando chato. Já me sentia um ignorante. Como desconheço device aos 38 anos? Como?

Ela anteviu que eu tirava sarro dela, que me fingia de burro para que explicasse à toa. Como ninguém quer ser idiota, fica complicado salvar a idiotice alheia.

Eu era burro mesmo. Tentei resolver essa lacuna e abrir espaço para outras ignorâncias. Confesso que careci de teimosia e imprimi uma risada apaziguadora. Soou como brincadeira.

O que me arrebata é a chance de ser puro. Como muitos juram que sou malandro, arriado e abusado, dificilmente alguém confia na minha limitação.

De vez em quando, Cínthya esquece quem eu sou para me amar mais. E é minha melhor professora.

Ela me explicou que não posso deixar o laptop ligado na eletricidade senão vicia a bateria. Não desistia da tomada para manter 100% de carga quando saísse para viajar. Sacrifiquei dois computadores pela desinformação.

Encontrei um risco no vidro dianteiro do carro. Já estava reclamando dos guardadores. Ela me explicou que é resultado do uso do limpador sem água e espuma. Tem sentido. A marca é uma meia-lua, bem no momento em que o aparador retorna.

Escovava os dentes em movimentos horizontais. Rápidos e constantes. Com a pressa de bochechar. Ela me explicou que deveria articular gestos verticais e seguir o desenho das felpas.

E me explicou como recolocar o elástico nas calças, regular máquina de lavar, cumprir nó de marinheiro.

Tarde dessas, teimei em entrar com uma ameixa em seu carro. Vermelha, lustrosa, com o verão dentro. Estávamos atrasados. Costumo comê-la com o rosto inclinado ao chão para derramar o prejuízo no tapete dos pés. Não estudei como destroçaria a fruta em seu carro. Sentei no impulso, traindo minha atitude selvagem e desprezando o encolhimento do espaço.

Dei uma mordida e o sumo escorreu para a calça. Na segunda investida, já de pernas abertas, o líquido infestou o banco. Quando consegui espirrar no vidro, ela interferiu na operação, não havia como se manter distante. Ou falava ou seu Twingo se transformava num liquidificador:

— Vem cá, por que não chupa ao morder?

— Chupar ao morder?

— Claro, depois que larga os dentes, chupa.

Ela aceitou meu despreparo e contornou o caroço e mordeu e chupou perfeitamente. Engoliu a lasca e o suco. Vi que podia. Pena que não tinha mais ameixas para exercitar.

— Onde aprendeu?

— Em Constantina, sou campeã para não me sujar.

Ainda não perguntei sobre os efeitos colaterais dessa aula. Mas não duvido de que não tenha influenciado até minha forma de beijá-la.

CASINHA DE SALVA-VIDAS

Nossa residência em Rainha do Mar tinha dois quartos e 10 colchões. Bastava apertar um pouco e surgia lugar para mais um. Vigorava uma generosidade que não conhecia em Porto Alegre.

Os parentes descobriam o endereço e apareciam de repente para descolar uma hospedagem de graça. Nem avisavam, desciam a bagagem com a vibração das cornetas dos sorveteiros. O sofá servia de beliche, não me pergunte como. Um primo acabou dormindo no chão da cozinha. Não se podia pegar água, senão o acordava. Não conferi o telhado, não duvido de tios roncando nas calhas.

Familiares ocupavam as mínimas frinchas. O último a voltar do mar sofreria para puxar uma sesta. Tomar banho, nem se fala, uma fila se formava no corredor, com o pessoal segurando suas roupas.

Apesar da multidão espremida na mesa, dos imprevistos financeiros e da falta de conforto, minha família nunca brigava no mar. O cheiro do mar agia como um chá de camomila.

As discussões sobre os problemas de casamento desapareciam na areia branca.

O litoral gaúcho representava um alegre esquecimento. Dois meses de paz, em que não enxergaria a porta trancada do quarto com minha mãe chorando ou meu pai na varanda olhando melancólico os contornos dos azulejos.

Eles selavam um pacto de felicidade. O único momento em que tiravam fotografias. Em todas as minhas imagens da infância, estou com calção de banho. Penso que não existe jeito de ser triste com o barulho do oceano.

Na praia, eu fiz mais amizades do que na escola. As residências sem cercas, a bola que atravessava as fronteiras dos guarda-sóis, o amontoado gostoso da padaria, tudo ajudava para puxar conversa. Amizade acontecia com o esbarrão, não precisávamos saber quem o outro era e de onde vinha. Com um riso, logo estávamos marcando um jogo de futebol ou dividindo um picolé de fruta.

Na capital, havia o cuidado com os estranhos. No litoral, havia o cuidado para não ser estranho.

Cresci aguardando as férias para crescer. Aprendi a andar de bicicleta nas ruas inclinadas de pé de moleque. Aprendi a ficar de pé na prancha e ainda acenar para a turma. Aprendi a cortar grama com a camisa amarrada na cabeça como um hindu. Aprendi a dirigir na solidão dos descampados. Aprendi a esperar a chuva amainar jogando cartas e varetas. Aprendi a despertar com o sol inundando o quarto.

Mas aprendi a amar, principalmente.

Eu me apaixonei no momento errado. Conheci Laura justamente no seu último dia de veraneio. A gente se encontrou descendo nas dunas em caixas de papelão. Apostamos corrida, em seguida entramos no mar. Sua boca: um biquíni vermelho cobrindo a brancura maravilhosa dos dentes. Encostei sua mão em meu ouvido. Gemido bom de concha. Brinquei de telefone com os dedos dela. De tanto que me estendi, devo ter ligado para a África.

Na volta, mostrei minha casa. Ela me mandou um bilhete de tarde com desenhos da Minnie. Foi a primeira carta de amor que recebi.

"Fabrício olhos de jabuticaba
Vamos casar? Na guarita. 18h.
beijo
Laura"

Os casais namoravam escondidos na guarita. A escada acentuava a aventura.

Expirava o horário dos brigadianos e os apaixonados se protegiam do vento e assumiam os cuidados do horizonte. Muitas vezes, salvaram a lua em seus mergulhos noturnos.

Escondi o papel no bolso. Com onze anos, aquilo foi assustador. Como contaria aos pais que iria casar? Preparei uma malinha levando minhas bolinhas de gude, meu time de botão, duas bermudas e três camisas. Achava que era suficiente para uma vida a dois.

Deitei na rede e não me mexi para o tempo passar. Quando não me mexo, é que o tempo demora.

O cansaço doeu e virou saudade. Lutei contra o sono, mas é impossível impedir o avanço do bocejo; sonhei que dava um beijo leve em sua boca de pano.

Minha mãe me acordou às 20h. Estava abraçado à mala.

— Ai, perdi o encontro!

Não vi a menina na manhã seguinte, nem depois.

Quando caminho pelas margens da praia ao entardecer, talvez por cisma, talvez por esperança, espio por dentro das casinhas de salva-vidas.

CHINELOS NA *AREIA*

Acreditei em mim porque ninguém iria acreditar em meu lugar. Como desejava que algum colega tivesse feito o difícil trabalho de confiar em mim e me dado um pouco de folga.

Contentaria em dizer: "Cuide de minha vida, que já volto", assim como quem deixa um par de chinelos na areia para mergulhar.

Apartar-me um pouco da briga louca que é provar a todo momento que tenho sentido. Desde que nasci, não encontrei descanso, sujeito a perder qualquer instante o respeito. Receio de perder os irmãos, os pais, a mulher, os filhos, os amigos. Perder a chance de ser lembrado. Perder a si por incompetência, já que não me ensinaram a ser o Fabrício. Deram-me um nome e me acostumei a atender os chamados para aplacar a fome e a sede. Não tive mérito, um cão faria o mesmo por necessidade.

A dificuldade foi o meu caráter.

Descobri que não é me matando que me tornarei importante em minha vida.

Não é me abandonando que me tornarei importante em minha vida.

Não é fugindo que me tornarei importante em minha vida.

É amando o que me faltava amar: eu.

Ali, escondido, mirrado, o menino que gostaria de ter sardas e ser ruivo, que passava horas sozinho para não ser obrigado a interromper o assobio.

Nasci sem expectativas. Não diria que conformado, que nunca fui. Mas é como se estivesse em desvantagem. Demoro para aprender. Eu tentava, mas um pensamento ficava atrás, saía do ritmo e não havia como buscar a turma depois. Consentia com a cabeça para não atrapalhar a lição. Não aceitava abandonar pensamentos de repente enquanto todos se apressavam em anunciar resultados. Não sobrei em casa, careci. Durmo até hoje encolhido. Achava a cama de solteiro espaçosa. Batia-me a culpa por desperdiçá-la. Um degrau me contentaria.

Raramente consigo me recordar da infância.

Meus três anos? Meus quatro anos? Meus cinco anos?

Só com hipnose e ainda duvido.

Anoto compromissos em agendas antigas, atrasado em preencher os dias em que não vivi. Invento lembranças para não parecer tão à toa e de passagem por aqui. Tão a esmo. Tão vadio. Nas redações escolares, odiava temas como "Conte-me suas férias". Era capaz de plagiar os alegres veraneios da menina ao lado. Em apuros, tomo a memória de meus irmãos como se fosse minha.

Amadurecer é não estar preparado. Quem afirma o contrário se enganou ou envelheceu antes de amadurecer.

CAMISA PARA FOTO

Não há amizade verdadeira entre dois homens em que não prorrompa uma alegoria antiga, uma recordação torta, uma esquisitice infantil.

Com coragem, eu e Mário Corso definimos mostrar as fotos da adolescência. Cada um levou cinco imagens das festas mais marcantes. Abrimos os envelopes com irritada hesitação. Entenda a gravidade: para machos, expor álbum de fotografias entre si é o máximo de invasão de privacidade. Acima disso, só dar a bunda.

Desabamos em risadas ao observar que, em todos os cliques, em diferentes espaços e contextos, da colação do Ensino Médio ao encontro familiar, ambos tinham a mesma camisa floreada.

Naquele período, havia uma única camisa para festa. Os meninos não emprestavam as peças como faziam as amigas, que incrementavam as combinações e cediam acessórios para devolver na semana seguinte. Não havia chance de reposição. Nosso guarda-roupa era um orfanato.

A camiseta de casa, a camiseta da escola e a camiseta do futebol não constam nos álbuns. Exclusivamente a camisa floreada. Os dez anos entre a infância e adolescência estão reduzidos numa estampa confusa de luau.

A partir disso, atingi a hipótese de que o homem usa sempre a mesma camisa de conversa para conquistar uma mulher. Confia que a conversa inteligente e exclusiva arrebata o dom feminino.

Ajuda, mas não é tudo. Seduzir uma mulher não é se isolar numa mesinha e disparar máximas inspiradas, alheio ao incêndio que pode estar ocorrendo no bar. É descobrir que ela observa como você se relaciona com o mundo. O mundo inteiro na brevidade da noite. O modo de concluir que sua prosa não é fiado para a cama. Ou um xaveco revendido sucessivamente nos camelôs das baladas.

Não adianta ser gentil com ela, devoto, acender os detalhes dos anéis e brincos, provar que foi estilista de roupas da boneca da sua irmã. Não será suficiente.

Não adianta encará-la profundamente até envergonhá-la de tanto desejo. Será avaliado por aquilo que fará fora do campo amoroso.

Ela prestará atenção em seu diálogo com o garçom, com os amigos, com as demais pessoas que interrompem o tremor das vogais.

Decidirá se ficará contigo por aquilo que demonstra com os outros, não com ela.

Um comentário tosco com qualquer interlocutor e uma indiferença com uma garota pesam na hora como antecedentes criminais. Um esbarrão sem desculpa na pista de dança, um sarcasmo despropositado com quem não merece e ela já o descarta.

Educação vem de casa. O problema dos homens é que eles a deixam lá.

VAGA PREFERENCIAL

Há casamentos que terminam pelo freio de mão puxado. É o que já escutei por aí, nas mesas dos botecos menos respeitados.

O freio de mão sempre foi uma arma contra ladeiras. Para quem não confia na embreagem. Para quem tem medo de descer ribanceira abaixo e bater no veículo de trás.

É saída de emergência dos motoristas cautelosos. Uma prevenção contra desastres e buzinaços. Não é algo que será ensinado na autoescola, consiste num mecanismo quase instintivo, um último recurso corporal. Como mexer desesperadamente os braços na água. Como gritar na hora do assalto.

Não é para ser empregado ostensivamente, requer economia e parcimônia, assim como não pode ser lavada diariamente a fronha do travesseiro. Fronha gostosa é aquela que guarda o nosso tato.

No amor, o freio de mão assumiu um significado trágico, sinônimo de conversa travada, arrastada, sem surpresa. Quando os casais estão prestes a se odiar por escrito, tão cansados da voz um do outro.

Na Vara de Família, é a desculpa mais frequente: "Não existe chance de reconciliação, o freio de mão está puxado". A juíza nem discute — conclui que é um caso irrecuperável.

Vem sendo a justificativa unânime na entrega das alianças, dividindo a vilania sexual com a impotência e o pijama listrado.

Não entendo desse modo, na minha mania de ouvir errado para falar certo. Ou de falar errado para ouvir certo.

Ao estacionar o carro, puxei o freio de mão com excesso de força. Provoquei um rasgo. Trammmmm. Um estrondo de relâmpago. Primeiro o som seco, para depois o rugido se espalhar pelos lençóis subterrâneos. Dava para contar os segundos e descobrir onde o raio caiu.

Minha namorada virou o rosto de súbito. Ela me observou espantada, carente como vendedor de flores no sinal. Pensei que me criticaria pela grosseria. Jurei que me denunciaria para o Detran.

O tranco poderia ter deslocado algum osso, lembrança, pensamento dela. Não são aconselháveis movimentos bruscos.

Mas percebi em seguida uma malícia imprevista em seu olhar, um assanhamento de íris, as covinhas do riso estavam mais fundas e convidativas. Havia uma tensão que não era desconforto. Pelo contrário, predominava um suspense, uma hesitação longa de descoberta.

E ela pediu o que não esperava.

— Faz de novo?

— Como?

— Faz de novo, faz?

E repeti mais duas vezes, escandalizando a alavanca. Seus ouvidos foram deitando, atentos, acelerados de silêncio.

Ela suspirou dentro do gemido. Disse que foi viril. Muito viril.

O que me põe a concluir que o freio de mão é um afrodisíaco. Excita. Arrebata. Para a vida por um bom motivo.

MULHER-VÍTIMA

Não tenho nada contra mulheres arrogantes, pretensiosas, arrivistas, carreiristas, fatais. Não me importo. O sadismo não me incomoda, expressa vontade e determinação, ainda que insuportavelmente exageradas.

O que me provoca alergia é a mulher-vítima (assim como existe o homem-vítima), a que se considera injustiçada por antecipação. Vítima do mundo, de si, que conspira contra qualquer boa notícia, que desconfia do otimismo e se empenha para a tragédia. Ela não lutará pelo seu talento, vai logo se desculpar ou esperar que tudo fique igual.

Será extremista: ou é como ela quer ou não vale. Não aceita gradações, modulações, intervalos. Não respeita meios-termos, demora, paciência. Carrega sua verdade para todas as mentiras. No primeiro confronto com os pais, replica: "Não pedi para nascer". Na discussão de casal: "Eu não o mereço". Na primeira celebração: "Não sei por que você me escolheu". No primeiro filho: "Ele não se parece comigo".

A mulher-vítima se defendeu do que podia na infância. Agora, nem a infância a acalma. É vingativa. Só que não com os outros. Renuncia e abdica de sua própria história para provar que tinha razão.

Ela se enxerga como a última das criaturas. Aliás, a penúltima das criaturas, pois se lembrará das baratas ao pensar nisso. Não seria capaz de casar consigo mesma. Não que não seja bonita, inteligente, sensível. É, na maioria das vezes. Mas não suporta a ideia de fracassar e fracassa na véspera por não controlar a ansiedade. Não que tenha medo de fracassar, esse é o problema: tem certeza de fracassar. A mulher-vítima tropeça já avisando como vai cair. Faz a derrota premeditada. Não economiza água para contar os dramas, e toma os dramas dos outros como seus. Se ela usasse todo o discurso quando se lamenta para dar certo, não haveria concorrência.

A mulher-vítima não desabafa, chora antes. Em algum momento, não foi vítima. Em algum momento, se sentiu traída e não trocou de papel.

A mulher-vítima se isola, acha que ninguém entenderá seu sofrimento. Não permite que sua angústia converse com estranhos. Ou que sua alegria tenha amigos. A mulher-vítima é uma mãe que não deixa o corpo sair dessa encarnação. É como o fogo, começa uma história e não consegue terminar.

Será vítima do casamento, será vítima da falta de oportunidade, será vítima dos filhos, será vítima das contas. Ela não reage, ela concorda quando está apanhando das dificuldades — até ajuda a bater.

A mulher-vítima não muda, aguarda que o mundo mude por ela. É triste o jeito como se trata, ou o jeito como não se trata.

O QUE O HOMEM DEVERIA ENXERGAR

Uma faxineira me contou.

Ela demorou muito tempo para entender a insatisfação de sua patroa.

Lavava, arrumava, ordenava com esmero e recebia alguma reclamação sobre a falta de capricho no fim do expediente.

De onde tirava essa conclusão?

Ela já confiava na hipótese de que não recebia elogio de propósito, para não se acomodar, que era um método de superação. Ou uma maldade produtiva.

Ameaçou largar o endereço, desistir de convencê-la da injustiça, reclamou ao marido a tortura de viver suplicando elogio.

Mas ela acabou capturando o motivo da cisma constante e semanal. Libertou-se da dúvida.

A patroa não vistoriava a casa, não observava o conjunto, não conferia o chão ou as roupas dobradas. Talvez nem fiscalizasse o pó das mesas. Reparava em um único detalhe: os interruptores de luz. Se apareciam brancos e brilhantes, tomava como princípio que o trabalho fora bem-feito. Quem lavava o interruptor pensaria em todo o resto. Logo ao acender a luz, a dona da residência aprovava ou criticava o serviço. Nem lançava as pupilas pelos aposentos.

Essa percepção da patroa, que elege o ínfimo como senha da limpeza, e o cuidado da faxineira, que compreende a mensagem invisível, revelam as sutilezas femininas.

O homem deveria ficar mais distraído. Só a distração nos conduz ao indispensável.

PACTO

Para o amigo Zé Pedro Goulart

Sou um desvairado. Aposto em casamento.

Mergulho em saideiras intermináveis na mesa de bar e apanho porque sou minoria. Meu chope tem colarinho de padre. É enlouquecedor convencer alguém que usa sua experiência. É como se a experiência fosse um argumento incontestável. Já reneguei muita lembrança que não me acrescentou nada. Nem toda experiência ensina; que mania a de se vangloriar do passado apocalíptico e jogar na cara: eu vivi dois casamentos, sei do que falo. Faz favor, há coisas que vivo que apenas me tiram as palavras. Se alguém tem propriedade no assunto é Thiago de Mello, que casou trinta vezes, mais ninguém. Nem eu.

Amo casamento com todo peso da árvore feminina da família. Torna qualquer detalhe revelador, chance de traficar ternura na necessidade de comprar gás ou arrumar o portão da garagem. Perguntar que horas ela volta é uma preocupação comovente, de quem deseja ficar mais tempo junto. O que são os problemas perto da alegria de poder contá-los para sua mulher? O amor é simples, tão simples que fingimos sabedoria ao dificultá-lo.

Mas os céticos estão em vantagem. Eu é que sou o conservador. Defender uma relação fechada é hoje impronunciável, uma burrice. Acabo calado por vaias e "deixa disso". Pareço um moralista, uma carmelita, um torcedor do América de MG.

Não aguento o pessimismo pré-datado. A gente entrega a indisposição nos medos mais óbvios.

"Se você me trair, promete me contar?"

A questão já coloca a infidelidade como certa. Contar ou não confessar passa a ser o dilema. Não se confia mais na fidelidade, mas somente na franqueza. Vamos adaptando os princípios. O mesmo é resmungar que o homem não é monogâmico, não adianta tentar. É aceitar que ele não tem escolha, de que se trata de um condicionamento biológico, uma maldição darwiniana.

Nem mais encontro vestidos de noiva em vitrine. Até os manequins estão solteiros. Casamento é posto como cativeiro, como subtração de direitos e multiplicação dos deveres. É uma felicidade passageira, de doente terminal. O matrimônio deveria abandonar o contrato. O contrato existe para terminar, resguardar o final e sair ileso. É proteção desde o princípio. Ao embarcar, já estamos reagindo às escolhas do naufrágio.

Casamento mudaria com a adoção do pacto. Isso: pacto! Por que unicamente o mal faz pacto? Um pacto do bem. Sei que há pacto com diabo, mas nunca vi pacto da virtude.

É usar o conhecimento siciliano. No pacto da máfia, realmente funciona a sentença "Até que a morte nos separe". É o único lugar que a frase tem sentido. É sangue com sangue, mindinho com mindinho. Não se oferece o indicador de propósito, para valorizar as pequenas causas. A aliança tem que ser o próprio dedo. Não há como tirar o dedo no motel.

O pacto são dois num só apelo, diferente do contrato, que é cada um por si. O pacto é palavra, o contrato é letra. A palavra é lembrança, a letra é cobrança. O pacto é confiança, o contrato é obrigação. No contrato, se pode sair a qualquer hora. No pacto, a saída é sempre pela honra.

CONTE-ME OS FINAIS

Conte-me os finais dos filmes, eu não me importo. Eu esqueço os finais dos filmes. Nunca guardo o que acontece no enlace. O final do filme é o menos importante. Não entendo como embaralho os finais como se fossem começos. Minha memória não é fotográfica, ela corre a letra e não me entendo depois.

O que eu fiz com os finais dos filmes? Eu transformei os finais dos filmes em livros que não escrevi.

Gosto que me digam o final antes de assistir o filme. Eu vou esquecer assim que assistir.

Conte-me o final de minha vida, eu não me importo. Ciganas, fadas, bruxas não me apavoram. Não vai mudar o que farei. O final da vida não altera meu endereço. Não altera a fome que havia na vida. O ácido da boca. A hortelã da boca. O susto de estar errado. O acerto inesperado. Não vai alterar a ordem da rotina, a ordem da minha higiene: se tomo primeiro o pente, depois a navalha, depois a escova. Não vai alterar minha dieta, minha receita médica, a cor de minha língua.

Não vai alterar as sete quadras que atravesso para chegar ao banco, o modo de discordar da luz. Não vai alterar a reposição da aguardente no bar. A manchete do jornal que não lerei.

Conte-me o final do livro. Não vai alterar o desejo feito de começos. As tardes lentas de domingo. Os cabelos lentos da filha. Não vai alterar o modo como viro a página, o modo como troco de assunto. Não vai alterar a floresta reduzida a um ninho. O ninho reduzido a uma asa solteira. Não vai alterar a evaporação das uvas. O número de amigos. Não vai alterar o horário das missas, dos cinemas, do nascimento.

O final do livro não vai alterar o autor e sua insuficiência.

DONA DE CASA DO AMOR

"Querida,

Meus sapatos sujos conversaram comigo.

Antes de sair para vê-la, botei o par no meu colo e passei um minucioso pano em suas bordas, lustrei e escovei a lâmina preta de couro. Quando soprei os cadarços, recuperei um pouco da véspera das reuniões dançantes da adolescência. Alegre véspera em que me enamorava desde casa. Colocava uma fita-cassete e, de banho tomado, inspecionava minhas roupas dormindo na cama (as roupas eram irmãos menores que tinha a obrigação de acordar).

Talvez devesse usar mais sapato.

No amor, fiquei sempre entre o adiamento (evitar o encontro) e a antecipação (não pensar em outra coisa). Eu sofro mais na antecipação, mas o adiamento é mais triste.

O que me põe a sofrer, portanto, não é triste. Sofro seu preenchimento ou sua carência ou os dois juntos: uma ausência transbordada de mim.

Exercito a falta de domínio. Aliás, não sei por quem vai se apaixonar se estou me despersonalizando cada vez mais, perigosamente perto da extinção dos meus gostos e do meu estilo.

Engano pensar que o que mais dói é o que nos incomoda. O que mais dói é o que desejamos. O desejo é uma dor sem pouso. Não arrebenta na pele para repetirmos seu trajeto.

Quando amamos não somos suficientes como no dia anterior. Somos terrivelmente dependentes, confusos, mudamos os nossos horários para uma fresta, não queremos nos ocupar para permanecermos livres em caso de uma surpresa. Mexemos o braço de um corpo que já não é nosso. Atendemos ao telefone em reunião, despertamos o interesse pelos ralos e bordas e paredes manchadas.

Somos aquilo que vivíamos criticando em nossos amigos: a espera resignada por alguém. A submissão.

Só posso concluir que o amante não é tapete da sala, é capacho. Estamos mais na porta do que dentro de alguma palavra.

No amor, todos são donas de casa. Donas de casa limpando a sala, recolhendo os farelos e encerando as janelas pela transparência. Donas de casa disponíveis a preparar a comida, arrumar a cama, atender caprichos insanos. Vou hoje preparar biscoitos, eu que nunca ligo o fogão e não gosto deles. Para somente manter a mão funcionando e untar lentamente a forma. E esperar algo que não seja você. Ou esperar você de outro modo, quando finjo não esperar.

Amar é a mais grave ausência de democracia. Amar é exploração. Amar é trabalho escravo. Não recomendo a ninguém, tampouco condeno.

Não me importo de ranger os cotovelos na mesa e de reparar os cantos com obstinação, como se fosse surgir por milagre na esquina de meu quarto. Não inspiro pena, estou agonizando com toda a saúde.

Mas o que me faria realmente sofrer é a falta de sofrimento do adiamento. Prefiro sofrer agora o que nem entendo do que entender meu sofrimento. É melhor, muito melhor.

Dependo de seu retorno para acreditar que a primeira vez — de tão perfeita — não foi minha invenção.

Beijo

Fabro"